DIETA DE

+

Libro de cocina de dieta renal

+

El libro de cocina bajo en colesterol

3 en 1

A. Lopez, A. Garcia, T. Álvarez

Reservados todos los derechos.

Descargo de responsabilidad

Sommario

5

DIETA DETOX

50 recetas increíbles para desintoxicarte del estrés de la vida cotidiana

Adriana Lopez

INTRODUCCIÓN

La limpieza del cuerpo parece ser una importante medida preventiva de los problemas de salud. Debido a que la mayoría de nosotros estamos ocupados y no podemos o no estamos dispuestos a mantener una dieta estricta, tenemos que hacerlo todo nosotros mismos. El cuerpo ha acumulado sustancias químicas día tras día. No notamos efectos secundarios porque los químicos son inofensivos en pequeñas cantidades, pero peligrosos en grandes cantidades. Una dieta adecuada y equilibrada es necesaria para aliviar las toxinas y los productos químicos y mantener una vida sana y normal.

La idea principal de una dieta detox es limitar el consumo de la mayoría de los alimentos y beber solo agua y verduras durante unos días. La mayoría de los programas permiten entonces la reintroducción lenta de otros alimentos. Las dietas generalmente restringen los alimentos que se dice que tienen toxinas dañinas. Además, una dieta detox también debería eliminar las toxinas del cuerpo. La dieta de desintoxicación ayuda al hígado y a otros órganos a limpiar las toxinas. Producimos sudor, heces y orina.

Nuestros cuerpos no pueden hacer frente al consumo diario normal de sustancias químicas. Los productos químicos provienen de los alimentos, así como de una amplia variedad de otras fuentes. No está claro qué está causando la enfermedad, pero se cree que los pesticidas, los metales pesados, como el mercurio y el plomo, y los productos químicos en los cigarrillos y el aire que respiramos causan una acumulación excesiva. Las cantidades más pequeñas de estos químicos son inofensivas. La ingesta excesiva y la acumulación pueden provocar enfermedades.

Una dieta de desintoxicación popular es la combinación de nada más que frutas y agua. Se pueden usar suplementos, hierbas y vitaminas para metabolizar ciertos químicos en nuestro cuerpo. Algunos suplementos ayudarán a movilizar las toxinas en la grasa y otros depósitos de toxinas en todo el cuerpo. Las terapias de sauna ayudan al cuerpo a deshacerse de los químicos a través del sudor. Hay muchas otras dietas y programas de desintoxicación que también son efectivos. La desintoxicación corporal regular es una acción preventiva que promueve un futuro más saludable.

Un plan para una dieta de desintoxicación no tiene como objetivo la pérdida de peso. La combinación de alimentos orgánicos naturales, hierbas y ejercicios simples para purgar el cuerpo de toxinas acumuladas tiene como objetivo limpiar y revitalizar el cuerpo. El consumo de alimentos procesados, alimentos no vegetarianos y azúcares con el tiempo conduce a la obstrucción de los desechos de las paredes internas del colon. Esto hace que los órganos de limpieza internos, como el hígado y los riñones, se sobrecarguen. Se vuelven lentos, lo que permite que las toxinas y las bacterias vuelvan a entrar en el sistema circulatorio a través de las heces, la orina o el sudor en lugar de la eliminación total. Estas toxinas pueden provocar fatiga, infecciones de la piel y otros órganos, migrañas, flatulencia, acidez, estreñimiento y muchas otras enfermedades graves. Un plan de dieta de desintoxicación regular puede eliminar las toxinas acumuladas del cuerpo y conducir a una vida activa libre de enfermedades.

Esta dieta no está destinada a personas con diabetes, pacientes con presión arterial baja, personas anoréxicas o adolescentes, ya que no proporciona suficiente combustible para su actividad física. Puede ser una dieta de líquidos, frutas y verduras orgánicas crudas durante una semana para limpiar el sistema. Reintroducir otros alimentos gradualmente, pero evitando consumir alimentos procesados y no vegetarianos. También es posible utilizar ciertas hierbas naturales.

CAPÍTULO UNO
¿Qué es la desintoxicación?

La desintoxicación es el proceso natural de eliminar y neutralizar las toxinas del cuerpo. El colon, los pulmones, el hígado, los riñones, la piel son los órganos que juegan un papel importante en la desintoxicación.

¿Qué significa desintoxicación?

La desintoxicación se conoce desde el antiguo Egipto. Luego, los médicos hablaron sobre la desintoxicación, mostrando a los pacientes que las enfermedades acompañadas de dolor y fatiga no se pueden tratar sin un tratamiento de desintoxicación.

Hoy en día se ha demostrado que incluso los mejores métodos de tratamiento no dan resultados duraderos sin un tratamiento de desintoxicación. ¡Puede tratar con éxito con una desintoxicación curar los trastornos del tránsito intestinal, estreñimiento, hinchazón, alergias, fatiga crónica, hígado cansado! ¡Puede perder 2-3 libras de más con una cura de desintoxicación! ¡Puede olvidarse de los dolores de cabeza y de las articulaciones con la ayuda de una cura de desintoxicación!

Al mismo tiempo, hoy en día, la cura de desintoxicación es una nueva tendencia en belleza. Las estrellas de Hollywood, Cindy Crawford, Oprah, Gwen Stefani, Liv Tyler, han hecho de la desintoxicación una forma de vida. Usan cinturones de desintoxicación y, en particular, cinturones de limpieza de colon como método de prevención de enfermedades y como método de embellecimiento, para perder kilos de más.

Mecanismos de desintoxicación.

Normalmente, nuestro cuerpo tiene la capacidad natural de desintoxicarse. Los principales mecanismos de desintoxicación del organismo son el colon, los pulmones, el hígado, los riñones, la piel.

Estos órganos cumplen la misión de desintoxicación, eliminando toxinas de alimentos contaminados con pesticidas, herbicidas, fertilizantes químicos, hormonas, antibióticos, E-food, aire contaminado.

Desafortunadamente, en muchos casos, se excede la capacidad de desintoxicación del cuerpo. El colon, el hígado, los riñones, los pulmones y la piel ya no pueden eliminar eficazmente las toxinas debido a la dieta desequilibrada, el estrés y la contaminación, por lo que la desintoxicación es necesaria.

Las toxinas se acumulan en el cuerpo. Supongamos que no seguimos un tratamiento de desintoxicación. En ese caso, aparecen primero distensión abdominal, flatulencia, mala digestión, tránsito intestinal lento, estreñimiento, aumento de peso, alergias, trastornos de concentración, dolores de cabeza, depresión y mal olor corporal, aliento.

¿Por qué es importante la desintoxicación del cuerpo?

Escuchamos cada vez más a menudo sobre nuestra desintoxicación, ideas, conceptos, curas y dietas. La desintoxicación es un tratamiento alternativo que tiene como objetivo eliminar las toxinas y sustancias acumuladas en el organismo que pueden afectar negativamente a corto o largo plazo. Tanto nutricionistas como médicos lo recomiendan. Sin embargo, antes de iniciar un programa de desintoxicación es importante saber "¿POR QUÉ?" Desintoxica nuestro cuerpo antes de que sepamos qué implica una desintoxicación y cómo hacerlo.

El cuerpo humano funciona como una máquina que, sin limpiar de vez en cuando, recoge sustancias tóxicas que provocan problemas de salud. Todos los días, nuestro cuerpo entra en contacto con toxinas que encontramos en diferentes formas: productos de limpieza, bebidas alcohólicas, humo de cigarrillo, contaminación, en productos de maquillaje, perfumes, etc. Además, algunas sustancias tóxicas no son tan "visibles", encontrándose en forma de pesticidas y herbicidas en frutas y hortalizas que no se lavan antes de su consumo y, al mismo tiempo, en forma de aditivos de productos preenvasados.

Todo esto afecta el buen funcionamiento de los órganos del cuerpo humano. A diferencia de otras partes de nuestro cuerpo, es muy difícil saber qué tan bien funciona el hígado, y este es exactamente el principal órgano desintoxicante. Además de la síntesis y secreción de bilis, el hígado actúa como filtro de toxinas y bacterias en la sangre. Neutraliza químicamente las toxinas, convirtiéndolas en sustancias que los riñones pueden eliminar.

La mayoría de las moléculas producidas por nuestro cuerpo todos los días son para deshacerse de los productos de desecho. Necesitamos cientos de enzimas, vitaminas y otras moléculas para ayudar al cuerpo a deshacerse de los desechos y productos químicos no deseados. Aunque la mayor parte del trabajo lo realiza el hígado y el tracto intestinal, los riñones, los pulmones, el sistema linfático y la piel están involucrados en este complejo sistema de desintoxicación.

Podemos ayudar al organismo mediante diversas curas y dietas con frutas, verduras, infusiones o complementos alimenticios. Sin embargo, los médicos advierten que la desintoxicación no es para todos y aconsejan a las personas que padecen enfermedades renales, diabetes, anemia que tengan cuidado al optar por dicho tratamiento.

Nutradose Detox es un complemento alimenticio elaborado a partir de extractos naturales de diente de león, manzanas, alcachofas, col lombarda, perejil, pomelo y alforfón. Estos ingredientes conforman un cóctel único, 100% natural, que aporta al organismo un estado de bienestar, depurativo asegurando un estado de salud reduciendo la retención de agua y eliminando toxinas.

Entre los extractos naturales enumerados anteriormente, mencionamos el perejil como conocido por su papel en la depuración y limpieza del organismo de toxinas, siendo un poderoso antioxidante; La col roja tiene propiedades antioxidantes a través de su rico contenido de flavonoides y fito-antioxidantes que estimulan la producción de enzimas esenciales para mantener las funciones metabólicas normales del cuerpo. La toronja también contiene bioflanoides que previenen la deposición de colesterol y ayudan a mejorar la digestión, intensificando la actividad del hígado y normalizando las sustancias en el cuerpo.

¿Funcionan las dietas detox?

Algunas personas informan que se sienten más concentradas y enérgicas durante y después de las dietas de desintoxicación. Sin embargo, esto puede deberse en parte a que una dieta de desintoxicación elimina los alimentos altamente procesados con grasas sólidas y azúcares añadidos. Evitar estos alimentos ricos en nutrientes con poca nutrición durante unos días puede ser parte de la razón por la que las personas se sienten mejor.

Por otro lado, muchas personas también informan sentirse muy mal durante el período de desintoxicación.

Los principales riesgos para la salud de las dietas de desintoxicación se relacionan con las restricciones energéticas severas y la insuficiencia nutricional.

CAPITULO DOS
¿Qué son las toxinas?

En los últimos años, todos los medios (incluidas revistas, noticias e incluso películas y programas de televisión) se han centrado en las toxinas, las dietas detox o la mejor forma de hacer ejercicio. Sin embargo, la mayoría de la gente aún no sabe qué son las toxinas ni por qué es una buena idea depurar nuestro organismo.

Cosas como las toxinas se denominan sustancias nocivas porque penetran en las células, ya sean plantas, animales o bacterias. Para algunas personas, los síntomas no aparecen de inmediato. Los síntomas pueden desarrollarse lentamente con el tiempo.

En términos de toxinas, es posible que le preocupe que se produzcan daños cuando se permite que las toxinas se acumulen en el cuerpo. Exploramos de dónde provienen estas toxinas y qué podemos hacer para evitar que ingresen al aire o al agua.

¿Qué son las toxinas?

Como hemos mencionado, las toxinas son sustancias potencialmente dañinas para nuestras células y tejidos. Pueden ser pequeñas moléculas, proteínas u otros elementos tanto del exterior como del interior del organismo.

En primer lugar, debemos saber que las toxinas se generan en nuestro cuerpo todo el tiempo, debido a los procesos metabólicos que necesitamos para sobrevivir. Por ejemplo, el mecanismo por el cual nuestras células obtienen energía genera radicales libres.

Los radicales libres son moléculas inestables que se consideran toxinas, ya que pueden dañar las células si se acumulan. También generamos numerosas toxinas cuando comemos, respiramos o consumimos una sustancia como el tabaco.

Lo que pasa es que tenemos mecanismos que nos permiten neutralizar todas estas toxinas o eliminarlas. Cuando se neutralizan, se evita que alcancen niveles muy altos, lo que es perjudicial para los tejidos.

Los dos órganos más importantes en la neutralización y eliminación de toxinas son el hígado y el riñón. A través de la orina y las heces expulsamos gran parte de ellas.

Es fundamental que estos órganos funcionen como deben, para que la depuración sea correcta. Las enfermedades renales y hepáticas alteran el proceso de desintoxicación y retrasan la eliminación de radicales libres, afectando, por ejemplo, al envejecimiento.

¿Cómo reconocer cuando el cuerpo necesita una limpieza?
Síntomas

- Falta de energía
- Metabolismo lento
- Incapacidad para arrojar kilogramos innecesarios
- Problemas de la piel
- Cabello y uñas mate y quebradizo
- Problemas intestinales y trastornos digestivos.
- Problemas de concentración y memoria.
- Dolores de cabeza
- Mal aliento
- Lengua envuelta
- Acidez
- Problemas con la menstruación
- Insomnio
- Tendencia a preocuparse por todo y cambios de humor.

- Celulitis
- Depresión
- Sin creatividad
- Renuencia a cambiar

Los síntomas anteriores indican que nuestro cuerpo está sobrecargado y necesita ayuda para deshacerse de sustancias nocivas. Sin embargo, a menudo ahogamos una llamada de ayuda.

Esto se debe a que nos hemos convertido en un hábito de tomar otro café en lugar de tomar un descanso para descansar, beber refrescos para recargar nuestras baterías y elevar nuestros niveles de energía con azúcar no saludable.

Podemos quedarnos en el trabajo fácilmente después de horas y no tenemos la fuerza para encontrar unos minutos para la gimnasia. Prefiera pasar tiempo haciendo cola para ver al médico y luego gastar su dinero en medicamentos, en lugar de descansar una hora en un cojín de meditación y abastecerse de alimentos saludables. La limpieza del cuerpo debe ser una prioridad para todos.

Las formas más comunes de desintoxicarse

Si conoce su cuerpo y los riesgos que está tomando al usar productos relacionados con materiales, puede estar más seguro de mantener su cuerpo libre de toxinas y mejorar su salud.

Le diremos qué alimentos debe comer y formas en las que puede hacer ejercicio diariamente para mejorar su calidad de vida.

No debe estar desintoxicando el cuerpo al tomarlo en un día de forma intensiva. O usando un producto de limpieza. Debe continuar activo en el sistema por un período más largo, no consumido en cantidades muy grandes. Tampoco tendrá ningún efecto si la persona deja de tomarlo o deja de tomarlo cuando deja de tomarlo.

En el día a día es una combinación de saber qué evitar y qué tipos de tratamientos pueden ayudarnos. Una manera fácil de cambiar su estilo de vida es comenzar a comer de manera más saludable.

- **Incrementar la ingesta diaria de frutas y verduras.**

Trate de comer al menos 3 o más verduras y 2 o más porciones de fruta fresca todos los días, aunque lo ideal sería consumir de 8 a 10 porciones de frutas y verduras cada día.

- **Usa edulcorantes naturales**

Elimina el azúcar de tu dieta. Puede obtener el sabor dulce con sustitutos del azúcar totalmente naturales como la stevia o la miel.

- **Prueba alimentos ricos en probióticos.**

Los alimentos probióticos son ricos en microorganismos vivos que ayudan a mejorar la digestión, el funcionamiento del sistema inmunológico y disminuyen la inflamación.

Los probióticos más comunes son: Lactobacillus acidophilus en el intestino delgado y Bifidobacterium bifidum en el intestino grueso.

Los podemos encontrar en productos como kéfir y yogur, y también están disponibles en forma de suplemento.

- **Cereales integrales**

El arroz integral, la quinua, la avena, el mijo, el amaranto o el trigo sarraceno son algunos ejemplos de alimentos que te ayudarán a mejorar el funcionamiento de tu intestino y, por tanto, te ayudarán a eliminar el exceso de toxinas.

- **Beba más líquidos**

La mayoría de nosotros no bebemos lo suficiente. El agua es fundamental para una función digestiva óptima, y es especialmente importante beber suficientes líquidos, sobre todo si vamos a aumentar la ingesta de fibra. Beber líquidos juega un papel muy importante en la desintoxicación diaria. Los líquidos ayudan a eliminar las toxinas a través de los órganos de manera más eficiente.

Trate de beber de 8 a 10 vasos de agua al día. Podemos aumentar la cantidad de líquido que bebemos a diario con infusiones, caldos, ...

- **Alimentos ricos en fibra**

Si no obtiene suficiente fibra, no ayudará a su cuerpo a eliminar los productos sobrantes como debería a través de la digestión.

La fibra es una parte muy importante de una dieta saludable y se puede encontrar en frutas, verduras y legumbres.

- **Alimentos ricos en ácidos grasos omega-3**

En pescados como anchoas, arenques, caballa, sardinas y salmón, en aguacate y linaza hará que el proceso digestivo sea más suave, ayudando a depurar el organismo.

- **Sustituye el café por té verde**

Una taza de café no tiene por qué ser dañina. El problema surge cuando bebemos demasiado café todos los días. Desconocemos el efecto que el exceso de cafeína puede tener en nuestro organismo a largo plazo.

El té verde es rico en antioxidantes que pueden ayudar a eliminar las toxinas del cuerpo y contiene cafeína, que es insignificante.

- **Elimina los malos hábitos**

Como fumar o beber alcohol.

- **Practica ejercicio fisico**

El ejercicio es una de las mejores formas de desintoxicar el cuerpo.

- **haz que dormir sea una prioridad**

Dormir bien por la noche también puede ayudar a eliminar la acumulación de toxinas, especialmente porque sus órganos están "recargados" y listos para hacer su trabajo.

Alimentos esenciales para limpiar el cuerpo

- **Manzanas**

Son excelentes para desintoxicar el cuerpo y el jugo de manzana ayuda a hacer frente a los efectos de los virus cuando contraemos una infección, como la gripe. Las manzanas contienen pectina, que ayuda a eliminar eficazmente los compuestos de metales pesados y otras toxinas del cuerpo. No es casualidad que la pectina esté incluida en los programas de desintoxicación para tratar a los adictos a las drogas que consumen heroína, cocaína, marihuana. Además, las manzanas ayudan a eliminar los parásitos intestinales, ciertas enfermedades de la piel, ayudan a tratar la inflamación de la vejiga y previenen problemas hepáticos.

- **Remolachas.**

El principal "limpiador" de nuestro cuerpo de toxinas y otras sustancias "innecesarias" es el hígado. Y la remolacha ayuda naturalmente a desintoxicar el hígado. Las remolachas, como las manzanas, contienen mucha pectina. Muchos médicos recomiendan que coma constantemente remolachas en todas sus formas: hervidas, horneadas, guisadas, úselas en la preparación de platos y postres sabrosos.

- **Apio.**

Indispensable para la desintoxicación. Ayuda a limpiar la sangre, previene la deposición de ácido úrico en las articulaciones y estimula la tiroides y las glándulas pituitarias. El apio también actúa como un diurético suave, lo que facilita el funcionamiento de los riñones y la vejiga.

- **Cebolla.**

Favorece la eliminación de toxinas a través de la piel. Además, limpia los intestinos.

- **Repollo.**

Sus propiedades antiinflamatorias se conocen desde hace mucho tiempo. El jugo de repollo se usa como remedio para las úlceras de estómago. Y ácido láctico. El repollo que contiene ayuda a mantener el colon sano. Como otras verduras crucíferas, el repollo contiene sulforfano, una sustancia que ayuda al cuerpo a combatir las toxinas.

- **Ajo.**

Contiene alicina, que ayuda a eliminar toxinas y contribuye al mantenimiento de glóbulos blancos normales. El ajo limpia el sistema respiratorio y purifica la sangre. Propiedad menos conocida: ayuda a eliminar la nicotina del cuerpo y puede ser una gran adición a su dieta cuando deje de fumar.

- **Alcachofa.**

Al igual que la remolacha, es buena para el hígado, ya que estimula la secreción de bilis. Además, las alcachofas son ricas en antioxidantes y fibra.

- **Limón.**

Se recomienda beber jugo de limón, agregándolo al agua tibia, tal limonada es un tónico para el hígado y el corazón. Además, previene la formación de cálculos renales alcalinos. Una gran cantidad de vitamina C ayuda a limpiar el sistema vascular.

- **Jengibre.**

Sus propiedades anti-frío son ampliamente conocidas. Pero el efecto diaforético del jengibre permite simultáneamente que el cuerpo expulse toxinas a través de la piel.

- **Zanahorias.**

Las zanahorias y el jugo de zanahoria ayudan en el tratamiento de enfermedades respiratorias y de la piel. Se utilizan para tratar la anemia y regular el ciclo menstrual.

- **Agua.**

Todos nuestros tejidos y células necesitan agua para funcionar bien. Incluso nuestra salud mental depende de la cantidad de agua que bebemos. Cuando el cuerpo está deshidratado, afecta negativamente todas las funciones corporales. El hombre moderno ha perdido el hábito de beber agua pura, reemplazándola por café, té y refrescos dulces. Como resultado, en los Estados Unidos, aproximadamente el 75% de la población está crónicamente deshidratada. Por lo tanto, aumentar el consumo de agua (los nutricionistas modernos consideran que la norma es de 1,5 a 2 litros por día) es una tarea importante.

¿Qué tan efectivas son las dietas de desintoxicación?

Las dietas detox son más populares hoy en día que nunca. Hay programas completos, entrenamientos y esquemas de nutrición de desintoxicación. La desintoxicación se vuelve especialmente relevante después de las vacaciones. Pero, ¿es bueno iniciar la desintoxicación? Analicemos en este material.

Las dietas de desintoxicación difieren en los tipos de alimentos que deben ser limitados y en duración. Una dieta detox típica consiste en un período de ayuno y una dieta estricta (frutas, verduras, zumos de frutas, agua). A veces se introduce la inanición completa, se utilizan infusiones de hierbas, se utilizan tés y, en ocasiones, se añaden enemas.

Se cree que las dietas de desintoxicación eliminan sustancias nocivas del cuerpo, mejoran la distribución de energía en el cuerpo, mejoran la concentración y el estado de ánimo. Los efectos positivos probablemente estén asociados con un cambio en la dieta (se excluyen los carbohidratos rápidos, las grasas trans, la concentración de vitaminas aumenta). Sin embargo, no existen estudios específicos que prueben esta afirmación.

El sistema excretor funciona en el cuerpo: hígado, riñones, piel. En consecuencia, el cuerpo puede deshacerse de las "toxinas" a través de la orina, las heces y el sudor. Las sustancias que no se eliminan fácilmente del cuerpo incluyen contaminantes orgánicos persistentes (COP), ftalatos, bisfenol A (BPA) y metales pesados. Se acumulan en el tejido adiposo o en la sangre y tardan mucho en eliminarse. Sin embargo, en la actualidad, se encuentran cada vez con menos frecuencia en los alimentos. Esto significa que en este caso, la desintoxicación no es efectiva.

Existe la opinión de que la desintoxicación le ayudará a perder peso, pero este tema no se comprende bien. Con las dietas de desintoxicación, lo más probable es que el cuerpo pierda su suministro de carbohidratos y líquidos, no grasa. Después del final de la desintoxicación, los kilos a menudo regresan.

Si desea seguir una dieta de desintoxicación, primero debe consultar con su médico y considerar los efectos secundarios. Las dietas de desintoxicación que limitan severamente la ingesta de proteínas son perjudiciales para el cuerpo. El ayuno prolongado provoca fatiga y deficiencias de vitaminas y minerales. La limpieza intestinal puede causar calambres, hinchazón, náuseas y vómitos.

Siempre debe comer una dieta saludable para obtener resultados duraderos: verduras y frutas, cereales integrales y fuentes de proteínas magras.

Beneficios de una dieta para desintoxicar el cuerpo

- **Incrementa tu energía**

Muchos seguidores de los programas de desintoxicación informan que se sienten con más energía. Esto tiene sentido porque a medida que te desintoxicas, dejas de comer cosas que te hicieron necesitar una desintoxicación en primer lugar. Al eliminar el azúcar, la cafeína, las grasas trans, las grasas saturadas y reemplazarlas con frutas y verduras frescas, tendrá una carga de energía natural, una que viene sin el corte de energía posterior. Es importante mantenerse bien hidratado durante un programa de desintoxicación, y esto también puede ser una fuente de aumento de energía si no suele beber mucha agua durante el día.

- **Limpiar el cuerpo del exceso de desperdicio**

Lo más importante con lo que una dieta puede desintoxicar el cuerpo ayuda a permitir que el cuerpo se deshaga de cualquier exceso de desechos que esté acumulando. La mayoría de los programas de desintoxicación están diseñados para alentar al cuerpo a limpiarse, desintoxicando el hígado, los riñones y el colon para que funcionen mejor. La limpieza del colon es una parte importante del proceso de desintoxicación porque estas toxinas deben salir del cuerpo. Un colon lleno de toxinas puede reintroducirlas en el cuerpo en lugar de eliminarlas. Comer frutas y verduras incluso después de la desintoxicación es una buena manera de mantener las cosas en marcha.

- **Ayuda con la pérdida de peso**

Es fácil ver cómo una desintoxicación puede hacer que pierda peso a corto plazo, pero una forma más saludable de verlo sería establecer hábitos alimenticios a largo plazo y deshacerse de los hábitos no saludables. A menudo es la drástica reducción de calorías y la rápida pérdida de peso lo que gana atención, especialmente en los medios de comunicación. Los resultados a corto plazo no durarán si no cambia los alimentos malos por los buenos y usa su energía para hacer más ejercicio y ser más activo.

- **Sistema inmunológico más fuerte**

Cuando te pones a dieta para desintoxicar el cuerpo, liberas a tus órganos para que funcionen como deberían. Esto ayuda a mejorar su sistema inmunológico, ya que podrá absorber mejor los nutrientes, incluida la vitamina C. Muchas de las hierbas que ingiere en la desintoxicación ayudarán al sistema linfático, que desempeña un papel importante en el mantenimiento de su salud. Muchos programas de desintoxicación se enfocan en ejercicios ligeros para ayudar a hacer circular el líquido linfático por el cuerpo y ayudar a fortalecer su sistema inmunológico en el proceso.

- **Mejor piel**

Tu piel es tu órgano más grande, por lo que tiene sentido que muestre resultados positivos con un programa de desintoxicación. Una forma de ayudar en sus esfuerzos de desintoxicación es tomar un sauna para ayudar a su cuerpo a eliminar más toxinas a través del sudor. Puede esperar una piel más limpia y suave al final de su plan de desintoxicación. También se ha informado que la desintoxicación puede ayudar con el acné, aunque la afección puede empeorar antes de mejorar a medida que se liberan las toxinas. Es posible que sienta que le pica la piel antes de que se limpie, pero esto es parte del proceso y una señal de que está en el camino correcto.

- **Mejor aliento**

Cuando se desintoxique con limpiezas de colon, siga un programa que incluya una limpieza de colon para que las toxinas se eliminen del cuerpo. Los expertos tienen la teoría de que el mal aliento puede provenir de un colon lleno de toxinas o bacterias. Una vez que pueda limpiar su sistema digestivo, es posible que pueda volver a algún tipo de hábitos alimenticios adecuados y su respiración puede mejorar. Debe tener en cuenta que su respiración puede empeorar durante la desintoxicación, pero cuando termina, cambiará positivamente. Esto ocurrirá de forma natural. Es una parte normal de la fabricación del producto.

- **Promueve cambios de salud**

Es difícil cambiar un viejo hábito, y un programa de desintoxicación, sin importar cuánto tiempo, es una forma de poner una barrera entre sus viejos hábitos y los nuevos. Si eres adicto al azúcar, la cafeína, los alimentos fritos, puedes usar un programa de desintoxicación para ayudarte a eliminar esos antojos. A menudo, si simplemente intenta dejar de comer estos alimentos o bebidas, tendrá un éxito limitado y volverá a los viejos hábitos. Pero si limpia su cuerpo e intercambia estos alimentos por opciones más saludables, es más probable que continúe con sus nuevos hábitos.

- **Pensamiento más claro**

Una buena dieta detox prestará atención a tu estado mental mientras limpias. A menudo se recomienda el uso de la meditación para volver a conectarse con su cuerpo durante este tiempo de limpieza. Los seguidores de la desintoxicación a menudo dicen que pierden la sensación de niebla mental y piensan con más claridad durante una desintoxicación. Tiene sentido, ya que muchos alimentos azucarados o grasos que nos rodean a diario nos hacen sentir letárgicos e influyen en la calidad de nuestros pensamientos.

- **Cabello Mas Saludable**

Cuando puedes ver tu cabello, ya se considera muerto, ya que su crecimiento ocurre en el folículo piloso. Por eso es importante mantener su cuerpo funcionando a todo vapor durante un programa de desintoxicación. Cuando su cabello pueda crecer sin ser inhibido por toxinas internas, verá y sentirá la diferencia. En muchos casos, el cabello es más brillante y suave al tacto. La desintoxicación no es suficiente para prevenir la caída del cabello, pero muchas personas informan que su cabello crece más rápido, una señal de un cabello más saludable.

- **Sensación de ligereza**

Uno de los posibles beneficios de ser una persona que está en un programa de desintoxicación es la sensación de ligereza. Hay muchas razones por las que esto podría estar sucediendo, especialmente si la persona está realizando una limpieza de colon como parte del programa. Cuando usted come en un ambiente que apoya una dieta balanceada y reemplaza los alimentos viejos con los alimentos más frescos, orgánicos y saludables; Te sentirás mucho más ligero. Además, es extremadamente importante no comer en exceso durante la desintoxicación, ya que también puede hacerte sentir ligero y te dará la energía que echas de menos.

- **Beneficios anti-edad**

La cantidad constante de toxinas con las que el cuerpo tiene que lidiar es uno de los factores que contribuyen al proceso de envejecimiento. Al reducir la cantidad de daño de los radicales libres a su cuerpo, tendrá beneficios a corto plazo y beneficios a largo plazo y más longevidad. Cuando termine su programa de desintoxicación, es muy importante no volver al estilo de vida que estaba causando las toxinas. Mantener una dieta mejor y realizar actividades diarias son excelentes formas de asegurarse de que siempre se sienta bien.

- **Mejor sensación de bienestar.**

Cuando haces una desintoxicación, te sientes bien, y cuando te sientes bien, suceden cosas buenas. La desintoxicación se usa a menudo de manera estratégica para perder peso o comenzar una dieta, pero no hay mejor razón que simplemente para sentirse mejor. Cuando prepare el escenario para sentirse bien, mejorará todas las áreas de su vida y verá mejores relaciones, más productividad en el trabajo y una nueva alegría en la vida.

¿Quién no debería desintoxicar el cuerpo??

Vale la pena recordar que la desintoxicación no es recomendable para todos, si ocurre alguna de las siguientes situaciones, antes de iniciar el proceso de limpieza, consulte a un médico:

- Eres un niño
- Está embarazada o amamantando
- Recientemente, se ha completado un tratamiento psiquiátrico o psicoterapéutico.
- Se toman drogas
- Te estás recuperando de una enfermedad grave.

Efectos secundarios de la desintoxicación del cuerpo.

Es importante destacar que el programa de limpieza corporal está destinado a brindar los máximos beneficios para la salud con un mínimo de efectos secundarios. Estas reacciones son completamente normales, ocurren en la mayoría de las personas y pasan rápidamente, y ciertamente indican que el cuerpo se está deshaciendo de las toxinas. Los efectos secundarios incluyen:

- Fatiga
- Estreñimiento
- Relajación intestinal

- Evacuaciones intestinales frecuentes y mayor indiferencia hacia las heces.
- Dolores de cabeza
- Lengua envuelta
- Aumento de la sudoración
- Manchas e imperfecciones de la piel
- Cambios en la micción
- Secreción nasal y secreción nasal
- Ira e irritabilidad

Qué alimentos comer y evitar

Que consumir	Que no consumir
Fruta fresca	Comida frita
Verduras	Alimentos procesados (harina blanca)
Verduras	Azúcar
Arroz	Exceso de sal común
Quinua	Cafeína
Avena	Bebidas sin alcohol
Tés naturales	Bebidas alcohólicas
Leguminosas	Alimentos con tintes
Castañas	Leches y derivados
Sal marina	Edulcorante
Polvo de cacao	Jarabe de maíz con alta fructuosa

Huevos de corral   Grasas saturadas y grasas trans

CAPÍTULO TRES
Plan de comidas de dieta detox

Dieta detox de 3 días: menú de ejemplo

Primer día:

- Desayuno: ensalada de frutas y frutos secos.
- Almuerzo: arroz integral y verduras cocidas.
- Cena: ensalada de verduras frescas

Segundo día:

- Desayuno: avena integral, fruta fresca.
- Almuerzo: ensalada de verduras crudas y legumbres.
- Merienda: ensalada de frutas frescas
- Cena: arroz integral y papas cocidas.

Tercer día:

- Desayuno: frutas y verduras centrifugadas
- Almuerzo: quinua y legumbres.
- Merienda: ensalada de frutas frescas
- Cena: ensalada de verduras y frutos secos.

Dieta detox de 7 días: menú de muestra

lunes

- Desayuno: yogur desnatado y plátano
- Almuerzo: ensalada de verduras y atún.
- Merienda: 100 gramos de bayas
- Cena: pescado al vapor con verduras.

martes

- Desayuno: una taza de leche de almendras y una fruta.
- Almuerzo: 50 g de arroz integral y legumbres.
- Cena: 100 g de pechuga de pollo desgrasada y ensalada de verduras

miércoles

- Desayuno: ensalada de frutas, yogur griego y 30 gramos de frutos secos.
- Almuerzo: 100 gramos de pescado al vapor y 50 gramos de quinua.
- Cena: ensalada mixta y patatas.

jueves

- Desayuno: copos de avena y un puñado de nueces.
- Almuerzo: 100 gramos de pavo desgrasado y verduras al vapor.
- Cena: 80g de pasta integral con salsa de tomate y albahaca fresca.

viernes

- Desayuno: un vaso de ensalada de frutas.
- Almuerzo: 80 gramos de pasta integral y salsa de tomate.
- Merienda: 30 gramos de frutos secos
- Cena: sopa de verduras y 1 fruta.

sábado

- Desayuno: yogur desnatado y fruta.
- Almuerzo: ensalada de vegetales mixtos y legumbres.
- Merienda: un vaso de ensalada de frutas.
- Cena: 100 g de salmón al horno y patatas

domingo

- Desayuno: copos de avena y fruta de temporada.
- Almuerzo: 100 gramos de carne magra y verduras a la plancha.
- Cena: 80 gramos de pasta integral y legumbres.

Preguntas frecuentes sobre dietas detox

1. ¿Qué es una dieta detox?

En la dieta de desintoxicación, los alimentos se agregan específicamente al cuerpo que promueven el proceso de desintoxicación. Se evita todo lo que pueda enfermarle permanentemente. Esto incluye, por ejemplo, una dieta poco saludable, pero también el estrés o las influencias ambientales nocivas. De esta manera, el cuerpo debe fortalecerse de adentro hacia afuera, y la persona que ayuna debe sentirse bien y en forma nuevamente en un nivel holístico después de la dieta de desintoxicación.

2. ¿Cuánto tiempo dura un ciclo de desintoxicación?

Existen curas desintoxicantes a partir de 3 o 5 días. Para lograr buenos resultados de salud y perder un poco de peso, debe planificar al menos una semana de estadía. A menudo se ofrecen unas vacaciones de desintoxicación de 14 días (o incluso más) y son una gran oportunidad para liberarse del estrés en todos los niveles, tanto físico como mental.

3. ¿Qué alimentos hay en el plato durante una cura de desintoxicación?

Puede esperar muchas frutas y verduras, muchos jugos de colores, caldo de verduras, batidos, sopas, infusiones de hierbas y, por supuesto, agua. ¡La dieta detox no tiene por qué ser aburrida! El alcohol, el café, el tabaco y la carne están prohibidos durante el ayuno.

4. ¿Puedo hacer también la dieta detox en casa?

Recomendamos tomar la cura en un hotel especialmente diseñado para la desintoxicación. Los médicos te examinarán inicialmente y te acompañarán todo el tiempo. Además, se creará un plan de dieta de desintoxicación individual para usted. Recibirá conocimientos relevantes durante una consulta nutricional, que podrá llevar a casa después de sus vacaciones saludables e integrarlos en la vida cotidiana.

5. ¿Cuáles son los efectos secundarios de esta dieta?

Al tirar por la borda los hábitos alimenticios durante la cura detox que puede haber sido programada durante años, pueden ocurrir efectos secundarios como dolores de cabeza, debilidad o mal humor, especialmente en los primeros días. Precisamente por eso es agradable tomar la cura en un hotel, ya que no estás solo en tu proyecto. Además, los hoteles ofrecen la infraestructura perfecta para el ayuno y ofrecen un gran programa de apoyo. La mayoría de nuestros hoteles en ayunas también se encuentran en medio de fabulosos paisajes naturales, que rápidamente hacen que los efectos secundarios iniciales se evaporen.

6. ¿Quién no debería someterse a una desintoxicación?

Dado que la cura de desintoxicación no es una dieta cero y el cuerpo recibe importantes minerales y sustancias vegetales, inicialmente no hay problemas de salud. Sin embargo, si padece infecciones agudas, cáncer, enfermedades cardiovasculares graves, enfermedades mentales o un trastorno alimentario, desaconsejamos la cura detox. En todos los casos, si tiene alguna duda, debe ser honesto consigo mismo y buscar el consejo de su médico. Las mujeres embarazadas no pueden ayunar.

CAPÍTULO CUATRO
Recetas para la desintoxicación

Jugo detox de mango

- Tiempo de cocción de 5 a 15 min.
- porciones 4

ingredientes

4-5 mangos (maduros)

1 limón

1 pieza de jengibre (del tamaño de un pulgar)

1 vaina (s) de chile (rojo)

1 cucharada de cúrcuma (molida)

preparación

1. Para el jugo detox de mango, pele y descorazone los mangos maduros. También retire el limón y el jengibre de la cáscara. Retire las semillas de la guindilla y exprima a través de un exprimidor junto con el resto de los ingredientes preparados.

2. Agregue la cúrcuma al jugo de desintoxicación de mango terminado y sirva.

Tomillo de pavo con lentejas al vino tinto

- Tiempo de cocción 30 a 60 min.
- porciones 4

ingredientes

- 4 filetes de pavo (150 g cada uno)
- 1/2 manojo de tomillo
- 1 cebolla (roja)
- 1 cucharada de aceite de colza
- 200 g de lentejas
- 1/8 l de vino tinto
- sal
- pimienta

preparación

1. Precalentar el horno a 200 ° C. Salpimentar los filetes de pavo y envolverlos en papel de aluminio con ramitas de tomillo y cocinar en el horno durante 20 minutos. Simultáneamente, cocine las lentejas en agua sin sal de acuerdo con las instrucciones del paquete (no cocine por completo).
2. Pelar la cebolla, cortarla en aros finos y sofreírla brevemente en un cazo con un poco de aceite. Echar vino tinto por encima, sal y pimienta y luego terminar de cocinar

junto con las lentejas (sin agua de cocción) y el tomillo fresco (simplemente arrancar de la rama).

3. Tus alimentos de desintoxicación: tomillo, cebolla, canola, lentejas y vino tinto.

Sopa de repollo "estilo asiático"

- Tiempo de cocción 30 a 60 min.
- porciones 4

Ingredientes
- 1 cabeza de col blanca (pequeña)
- 1 cucharadita de pimentón en polvo (dulce)
- 1 zanahoria
- 2 uds. Cebollas
- 3 dedos de ajo
- 2 cucharadas de aceite de oliva
- 1 vaina (s) de chile
- 1 barra (s) de limoncillo
- 1 tubérculo (s) de jengibre (grande)
- 1 cucharada de semillas de alcaravea (molidas)
- 1000 ml de caldo de verduras (alternativamente sopa orgánica en polvo y agua)

- 500 ml de té verde
- sal

preparación

1. Para la sopa de repollo "estilo asiático", primero corte el repollo por la mitad, retire el tallo y córtelo en tiras finas. Pelar la zanahoria (en tiras), la cebolla, el limoncillo y el ajo y cortar en trozos pequeños. Prepara té verde. Calentar el aceite en una cacerola grande, agregar la zanahoria, la cebolla y el ajo y sofreír brevemente.

2. Agregue el repollo blanco y ase brevemente. Retire la sartén del fuego, agregue el pimentón en polvo, la hierba de limón, el jengibre recién rallado, la guindilla y las semillas de alcaravea y revuelva. Vierta el caldo de verduras y el té verde por encima. Cocine a fuego lento durante 20 minutos.

3. Antes de servir la sopa de repollo "estilo asiático", retire la guindilla y sazone al gusto nuevamente.

Crema de cuajada de goji

ingredientes

- 250 g de requesón bajo en grasa (cremoso)
- 100 ml de leche de soja
- 20 g de avellanas (ralladas)
- 1 cucharada de linaza (triturada)
- 1 cucharadita de sirope de arce
- 20 g de bayas de goji (secas)

preparación

1. Batir el requesón desnatado con leche de soja hasta que quede suave.
2. Mezcle las avellanas, las semillas de lino y el jarabe de arce.
3. Espolvoree las bayas de goji encima y sirva la crema.

Desintoxicante de pasta

- Tiempo de cocción 30 a 60 min.
- Porciones 4

ingredientes

- 2 botes de anchoas
- 100 g de alcaparras (medianas)
- 50 g de arándanos (secos, arándanos)
- 40 g de piñones
- 2 corazones de alcachofa de cristal
- 500 g de pasta integral (sin huevo)
- 1 cucharada de orégano

preparación

1. Prepare agua de cocción con sal para la pasta. Cocina la pasta al dente según las instrucciones.
2. Dorar los piñones en una sartén antiadherente sin grasa.
3. Cortar las anchoas, alcaparras y corazones de alcachofa en trozos pequeños.
4. Utiliza el aceite de un vaso en el que se encurtieron las anchoas para tu salsa: mezcla el aceite, las anchoas, las alcaparras, los corazones de alcachofa, los arándanos, los piñones y el orégano hasta formar una masa y calienta brevemente la salsa.
5. Sirve la pasta con la salsa.

Pudín de arroz integral

- Tiempo de cocción 30 a 60 min.
- porciones 4

ingredientes

- 2 manzanas
- 100 g de arroz de grano corto (natural)
- 50 ml de leche de soja
- 200 ml de agua
- 40 g de almendras (naturales)
- 30 g de pasas
- 1 pizca de canela (molida)
- 1 par de clavos
- 1 cucharada de miel
- 150 g de requesón bajo en grasa (cremoso)

preparación

1. Para el arroz con leche integral, cocine el arroz con 200 ml de agua en una cacerola tapada (unos 40 minutos según las instrucciones) a fuego medio. Mientras tanto, pelar, quitar el corazón y cortar las manzanas en aros y cocerlas brevemente con los dientes en un poco de agua hasta que los aros estén blandos.

2. Una vez transcurrido el tiempo de cocción y el arroz haya absorbido el agua, quitar la tapa y añadir la leche de soja, las nueces, las pasas, la miel y la canela. Ahora retire la olla del fuego, deje que el arroz se enfríe brevemente y mezcle el requesón en la mezcla.

3. Ahora alterna capas de aros de manzana y mezcla de arroz en un vaso. Terminar con un anillo de manzana y espolvorear el arroz con leche con un poco de canela.

Hierba de patata y cúrcuma

- Tiempo de cocción 30 a 60 min.
- porciones 4

ingredientes

- 500 g de chucrut (precocido)
- 60 g de albaricoques (secos)
- 60 g de lentejas (negras)
- 600 g de patatas (harinosas)
- 250 g de sopa de verduras (orgánica, cubos de sopa)
- 1 cucharadita de pimentón en polvo (dulce)
- 1 cucharadita de semillas de alcaravea
- 1 cucharadita de cúrcuma (molida, cúrcuma)
- 1 cucharada de curry en polvo
- 1 cebolla (blanca)
- 1 cucharada de aceite de oliva

preparación

1. Para la hierba de patata y cúrcuma, prepare la sopa de verduras con 250 ml de agua y medio cubo de sopa de verduras ecológica.
2. Pelar y cortar en dados las patatas y las cebollas.

3. Sofreír la cebolla en una cacerola grande con aceite durante 2 minutos, mezclar el pimentón en polvo y verter encima el caldo de verduras.
4. Agregue las papas, las lentejas (el tiempo de cocción de las lentejas puede variar), las semillas de alcaravea, la cúrcuma y el curry en polvo y cocine tapado durante 20 minutos a fuego lento.
5. Finalmente agregue los albaricoques picados y el repollo y deje la sartén en el fuego por otros 3 a 4 minutos.

Brochetas de pollo al curry de colores

- Tiempo de cocción de 15 a 30 min.
- Porciones 4

ingredientes
- 600 g de filete de pollo (sin piel)
- 1 plátano (grande, sin madurar)
- 1 cebolla (blanca)
- 1 PC. Pimentón (amarillo)
- 1 paquete de tomates cocktail
- 1 cucharada de curry en polvo
- sal y pimienta

- Palillos de madera

preparación
1. Para las coloridas brochetas de pollo al curry, precalienta el horno a 200 ° C. Corta el pollo en cubos pequeños.
2. Pelar la cebolla y el plátano y cortar en rodajas pequeñas.
3. Cortar el pimiento morrón en pequeños trozos cuadrados y
4. corte los tomates cherry a la mitad.
5. Alterne todos los ingredientes en las brochetas.
6. Sal, pimienta y espolvorea generosamente con curry en polvo. Coloque las brochetas de pollo al curry en una bandeja para hornear forrada con papel de hornear y hornee en el horno a 200 ° C durante unos 12 minutos.

Suero de leche de fresa caliente

- Tiempo de cocción de 15 a 30 min.
- Porciones 4

ingredientes
- 200 ml de suero de leche bajo en grasa (natural)
- 1 cucharadita de sirope de arce
- 125 g de fresas (frescas o congeladas)
- 1 pizca de pimienta de cayena

preparación

1. Para el suero de fresa caliente, lava las fresas, quita el tallo, córtalas por la mitad y tritúralas con el jarabe de arce, la pimienta de cayena y unas cucharadas de agua.
2. Vierta el suero de leche frío en un vaso y vierta el puré sobre él.

Espaguetis vegetarianos

- Tiempo de cocción 30 a 60 min.
- Porciones 4

ingredientes
- 400 g de espaguetis de trigo integral
- 150 g de gránulos de soja
- 200 g de zanahorias
- 1 PC. Pimentón (amarillo)
- 1 kg de tomates (colados)
- 1 cebolla (blanca)
- 50 g de alcaparras (pequeñas)
- 100 g de aceitunas (verdes, sin semillas)
- 4 piezas de dientes de ajo
- 4 cucharadas de pasta de tomate
- 250 ml de vino tinto (fuerte)

- 6 gotas de salsa Tabasco
- 1/2 manojo de perejil
- 1 cucharada de orégano
- 1 cucharadita de pimentón en polvo (dulce)
- 1/2 cucharadita de canela
- 1 cucharada de aceite de oliva
- sal
- pimienta

preparación

1. Para los espaguetis veganos, deje el granulado de soja en remojo en 300 ml de agua durante 10 minutos.
2. Pelar las zanahorias y la cebolla y cortar en dados muy pequeños.
3. Quita el corazón de los pimientos y córtalos en trozos pequeños.
4. Cortar las aceitunas por la mitad y picar el perejil.
5. Calentar el aceite en una cacerola grande, sofreír la cebolla y las zanahorias de 2 a 3 minutos.
6. Desglasar con una pizca de vino (no todo).
7. Agrega los tomates colados, las alcaparras, las aceitunas, los dientes de ajo pelados enteros, el pimentón y el pimentón en polvo, la canela, el tabasco, el perejil, el orégano y la pasta de tomate y revuelve bien.
8. Una vez que todo esté caliente, agregue los gránulos de soja para absorber los sabores y la salsa de tomate.
9. Sigue añadiendo un poco de vino hasta que se acabe.
10. Salpimentar todo como más te guste y dejar hervir a fuego lento durante 30 minutos.
11. Revuelva de vez en cuando.
12. Cuece la pasta a su debido tiempo hasta que esté al dente.

Jugo de Pascua verde

- Tiempo de cocción de 15 a 30 min.
- Porciones 4

ingredientes

- 4 manzanas (agridulces)
- 3 peras
- 1 pieza de jengibre (del tamaño de un pulgar)
- 2 puñados de hojas de espinaca (grandes)

preparación

1. Para el jugo de Pascua Verde, primero corte las manzanas y las peras en cuartos y retire el corazón. Pela el jengibre. Lave las espinacas y déjelas secar.

2. Exprime todos los ingredientes a través de un exprimidor y recoge el jugo. Vierta jugo de Pascua verde en vasos y sirva.

Ensalada de espinacas orientales

- Tiempo de cocción 30 a 60 min.
- Porciones 4

ingredientes

- 4 puñados de espinacas tiernas (frescas, unos 150 g)
- 1/2 cebolla (roja)
- 6 dátiles (firme)
- 1/2 limón (jugo)
- 1 cucharada de vinagre de sidra de manzana
- 4 cucharadas de aceite de oliva
- 1/2 cucharadita de pimienta de cayena (o chile en polvo ligeramente picante)
- Sal marina (al gusto)
- 70 g de almendras
- 2 panes de pita (preferiblemente hechos de granos integrales)

preparación

1. Para preparar, primero remoje las almendras durante la noche y retire la piel a la mañana siguiente.

57

2. Lave las espinacas y séquelas.
3. Para el aderezo, corta finamente la mitad de la cebolla y colócala en una ensaladera. Cortar los dátiles en rodajas finas como una oblea y batir bien con las cebollas y el resto de los ingredientes del aderezo. Sazone todo con sal.
4. Agregue la espinaca lavada al aderezo en el tazón.
5. Para los picatostes, corte el pan de pita en cubos y pique las almendras en trozos grandes. Ase ambos en una sartén sin grasa durante 3 a 5 minutos a fuego medio.
6. Para servir, mezcla la ensalada y espolvorea los picatostes con las almendras por encima.

Rollos de verano de belleza

- Tiempo de cocción 30 a 60 min.
- Porciones 4

ingredientes
- 1/4 pepino
- 1 rama (s) de apio
- 50 g de col lombarda
- 50 g de pulpa de piña
- 50 g de pulpa de aguacate
- 50 g de espinacas tiernas

- 2 ramitas de bálsamo de limón
- 6 hojas de papel de arroz
- 2 cucharadas de salsa de soja (ligera, ligera)
- 1 cucharadita de tahini
- 1 cucharadita de sirope de agave
- 1 cucharadita de jugo de lima
- Pimienta (recién molida)
- Cúrcuma (recién molida)

preparación

1. Para los hermosos rollitos de verano, primero lava las verduras y córtalas en tiras largas y delgadas. Corta la piña y el aguacate en rodajas. Lavar las espinacas y secarlas agitando. Lavar el bálsamo de limón, secar con agitación y arrancar las hojas.

2. Remoje las hojas de papel de arroz en un recipiente grande con agua durante aproximadamente 1 minuto. Extienda el papel de arroz sobre una superficie de trabajo. Coloque las tiras de verduras, la piña, el bálsamo de limón, las espinacas en el fondo de las hojas de papel de arroz y doble los lados. Enrolle bien y colóquelo en un plato.

3. Mezclar bien la salsa de soja, el tahini, el jarabe de agave, el jugo de lima y 2 cucharadas de agua y sazonar con pimienta y cúrcuma. Sirve la salsa con los bellos rollitos de verano.

Ensalada de perejil peruano

- Tiempo de cocción 30 a 60 min.
- Porciones 4

ingredientes

- 200 g de quinua
- 400 ml de agua
- 1 manojo de perejil (suave)
- 1 manojo de menta
- 2 tomates (firmes)
- 1/2 pepino
- 1/2 granada
- 4 cucharadas de aceite de oliva
- 1/2 limón (jugo)
- Sal marina (al gusto)
- Pimienta (negra, recién molida, al gusto)

preparación

1. Para la ensalada de perejil peruano, primero cocine la quinua en agua ligeramente salada en una cacerola cerrada a fuego medio durante unos 10 minutos, luego escurra.

2. Lavar el perejil (con los tallos), secar, picar finamente y colocar en un bol. Arranca las hojas de menta de los tallos y agrega. Corta los tomates (sin las partes verdes) y el

pepino en cubos pequeños y revuelve también. Corta la granada, quita con cuidado las semillas rojas de la mitad o raspa con una cucharada y agrégala a los demás ingredientes.

3. Incorpora la quinua cocida y enfriada a la ensalada. Rocíe con aceite de oliva y jugo de limón, sazone la ensalada de perejil peruano con sal marina y pimienta y disfrute.

Sopa de invierno

ingredientes

- 150 g de frijoles mungo
- 1/2 col china
- 1 manzana
- 2 raíces de perejil
- 1 cebolla (pequeña)
- 1 cucharada de ghee
- 1 cucharada de canela en polvo
- 1 cucharadita de cilantro (triturado)
- 1 pizca de clavo en polvo
- 1 cucharadita de comino negro
- 1/2 cucharadita de pimienta (triturada)

- 650 ml de agua (hirviendo)
- 30 g de pasas
- 100 ml de zumo de manzana
- sal
- Brotes de girasol (frescos)

preparación
1. Para la sopa de invierno, corte la col china en tiras finas, corte la manzana y las raíces de perejil en cubos.
2. Picar finamente la cebolla y los dientes de ajo. Calentar el ghee en una cacerola, tostar brevemente las especias para que la canela no se queme. Agrega el ajo y la cebolla. Cuando suba el olor, ase las verduras durante 1 a 2 minutos.
3. Mientras tanto, lavar los frijoles mungo remojados en un colador, escurrirlos y ponerlos en la olla. Revuelva y vierta el agua hirviendo. Agregue las pasas y cocine a fuego lento tapado durante unos 50 minutos, revolviendo ocasionalmente. Agrega jugo de manzana y sal. Deje reposar de 5 a 10 minutos y sirva la sopa de invierno espolvoreada con brotes de girasol.

Ensalada Detox Radicchio

- Tiempo de cocción de 15 a 30 min.

- Porciones 4

ingredientes

- 40 g de achicoria (en trozos pequeños)
- 1 naranja (fileteada, cortada en trozos)
- 1/2 naranja (jugo de ella)
- 2 cucharadas de sopa de verduras
- 1 cucharadita de aceite de oliva
- sal
- Pimienta (del molino)

preparación

1. Para la ensalada de achicoria detox, prepare un aderezo para ensalada con la sopa de verduras, el jugo de naranja y el aceite de oliva. Agrega la achicoria y la naranja y sazona con sal y pimienta.
2. Organizar y servir la Ensalada Detox Radicchio.

Bebida de naranja caliente detox

- Tiempo de cocción 30 a 60 min.
- Porciones 1

ingredientes

- 6 uds. naranja
- 2 ramitas de salvia

- 3 cm de jengibre
- 1/2 vaina (s) de chile

preparación

1. Para la bebida de naranja caliente Detox, primero prepara Detox Sud. Para hacer esto, seleccione la salvia y lávela, retire las hojas. Lave el jengibre, pélelo y córtelo en dados si lo desea.
2. Pon la salvia y el jengibre en una cacerola. Cubrir solo un poco con agua, llevar a ebullición una vez. Quite el tallo del ají y corte a lo largo.
3. Corta la guindilla en cubos / trozos y agrega la guindilla a la infusión. Deje hervir a fuego lento durante 2 minutos. Luego colar y dejar enfriar. Exprime las naranjas y vierte el jugo en un vaso.
4. Agrega la infusión de chile y jengibre, revuelve y disfruta de la bebida Detox Hot Orange.

Agua de desintoxicación fresa rosa limón

- Tiempo de cocción 30 a 60 min.
- Porciones 1

ingredientes

- 10 fresas (ajustar cantidad)
- 1/2 limón

- 20 pétalos de rosa (sin secar)
- 1500 ml de agua (posiblemente filtrada)

preparación

1. Para el Agua Detox-Fresa-Limón, primero preparar las fresas (lavar, quitar la base de flores y picar). Agite bien los pétalos de rosa, pero no los lave.
2. Afloje los pétalos generosamente del cáliz. Extienda sobre papel de cocina y vuelva a comprobar si hay insectos. Lavar, secar y cortar en rodajas la mitad del limón.
3. Ponga el agua, las fresas, las rodajas de limón y los pétalos de rosa en una jarra de vidrio. Dependiendo de la intensidad de sabor deseada, deje reposar el agua desintoxicante de fresa y limón (al menos dos horas).

Detox blackberry lemongrass agua de rosas

- Tiempo de cocción 30 a 60 min.
- Porciones 1

ingredientes

- 3 cucharadas de moras
- 2 piezas de limoncillo
- Pétalos de rosa (al gusto)
- 1500 ml de agua

preparación

1. Para la desintoxicación de moras, limoncillo y agua de rosas, agita bien los pétalos de rosa, pero no los laves. Afloje los pétalos generosamente del cáliz.
2. Extienda sobre papel de cocina y vuelva a comprobar si hay insectos. Clasificar y lavar las moras y la hierba de limón. Machaca la hierba de limón hasta que esté blanda (lata). Ponga el agua, las moras y el limoncillo en una jarra.
3. Finalmente agregue pétalos de rosa y revuelva suavemente una vez. Déjelo reposar durante la noche en un lugar fresco. Beba el agua de rosas desintoxicante de blackberry lemongrass durante el día siguiente.

Agua Detox

ingredientes

- 2 litros de agua
- 1 PC. Jengibre (1 cm)
- 1 pieza de pepino
- 1 trozo de limón
- 1 ramita (s) de menta (o la cantidad que desee)

preparación

1. Lave cuidadosamente todos los ingredientes para el agua de desintoxicación. Luego ponga 2 litros de agua en un

recipiente grande. Luego corta el pepino y el limón en rodajas finas.

2. Poner todo junto en el bol con el agua y sellar herméticamente. Poner en la nevera durante la noche y disfrutar frío al día siguiente.

Batido detox multi

- Tiempo de cocción 30 a 60 min.
- Porciones 4

ingredientes

- 1 PC. Clementinas
- 1/2 pieza de mango
- 1 pieza de manzanas (p. Ej. Gala)
- 1 rodaja (s) de piña
- 1 pera
- 1 PC. Ciruela
- 80 ml de zumo de granada
- 10 g de jengibre cortado en cubitos
- 8 fresas
- 1 cucharadita de frutas de goji
- 1/2 remolacha (cocida al dente)

- Cubitos de hielo (al gusto)

preparación

1. Preparar las frutas para el batido multi-detox (dependiendo de la fruta, lavar, pelar, exprimir, descorazonar y picar). La clementina también se puede exprimir. Remoja las bayas de goji secas.
2. Ponga los trozos de fruta junto con los cubitos de hielo en un exprimidor / licuadora, mezcle y sirva inmediatamente.

Agua desintoxicante de fresa y limón

ingredientes

- 10 fresas (ajustar cantidad)
- 1/2 limón
- 1 1/2 l de agua (posiblemente filtrada)

preparación

1. Primero preparar las fresas (lavar, quitar la base de la flor y picar).
2. Lavar, secar y cortar en rodajas la mitad del limón.
3. Ponga el agua, las fresas y las rodajas de limón en una jarra de vidrio.

4. Dependiendo de la intensidad de sabor deseada, deje reposar el agua desintoxicante de fresa y limón (al menos dos horas).

Agua de flor de rosa detox con limón

- Tiempo de cocción 30 a 60 min.
- Porciones 4

ingredientes

- 1 puñado de pétalos de rosa (sin rociar)
- 1/3 limón (orgánico)
- 1 litro de agua

preparación

1. Primero agite bien los pétalos de rosa, pero no los lave. Afloje generosamente los pétalos del cáliz, de lo contrario tendrá un sabor amargo.
2. Extienda sobre papel de cocina y vuelva a comprobar si hay insectos.
3. Lavar, secar y cortar en rodajas la mitad del limón. Ponga el agua y las rodajas de limón en una jarra de vidrio. Finalmente, agregue los pétalos de rosa y revuelva suavemente una vez.

4. Asegúrese de cubrir la jarra para que los aceites esenciales no se evaporen. Déjelo reposar en la nevera durante la noche.
5. Bebe el agua de desintoxicación con pétalos de rosa durante el día siguiente.

Agua detox con flor de saúco y cítricos

- Tiempo de cocción 30 a 60 min.
- Porciones 1

ingredientes
- 1 l de agua de manantial (muy fría o agua del grifo)
- 1 limón (orgánico)
- 1 naranja (orgánica)
- 2 flores de saúco
- Cubos de hielo

preparación
1. Primero corte medio limón en rodajas y en cuartos las rodajas. Exprime la otra mitad del limón. Haz lo mismo con la naranja.
2. Pon las rodajas de naranja y limón, el jugo de naranja y limón, la flor de saúco y los cubitos de hielo en una jarra o jarra.

3. Vierta el agua de manantial y déjela reposar en el refrigerador durante aproximadamente media hora.

Agua de flor de rosa de granada detox

- Tiempo de cocción 30 a 60 min.
- Porciones 1

ingredientes

- 4 cucharadas de semillas de granada
- 1 puñado de pétalos de rosa (sin rociar)
- 1/3 de lima (orgánica)
- 1250 ml de agua

preparación

1. Para el agua de desintoxicación con pétalos de rosa de granada, agite bien los pétalos de rosa, pero no los lave. Afloje generosamente los pétalos del cáliz, de lo contrario tendrá un sabor amargo.
2. Extienda sobre papel de cocina y vuelva a comprobar si hay insectos. Lavar, secar y cortar en rodajas la lima. Ponga el agua, las semillas de granada y las rodajas de lima en una jarra.
3. Finalmente agregue pétalos de rosa y revuelva suavemente una vez. Asegúrate de cubrir la jarra para que los aceites

esenciales no se evaporen. Déjelo reposar durante la noche en un lugar fresco.

4. Beba el agua de desintoxicación de granada y flor de rosa durante el día siguiente.

Batido de desintoxicación de jardín de verano

ingredientes

- 20 g de ortiga
- 20 g de espinacas tiernas
- 1 pieza de maracuyá
- 1 PC. naranja
- 1 plátano
- 2 manzanas
- Cubitos de hielo (al gusto)
- Agua (al gusto)

preparación

1. Prepáre las frutas y ensaladas para el batido de desintoxicación del jardín de verano (según el tipo, clasifique, lave, pele, exprima, descorazone y pique, según la potencia de la batidora).

2. Pon todo junto en una licuadora y licúa hasta lograr la consistencia deseada. Dependiendo de la cantidad de agua, el batido será más espeso o más delgado.

Bebida detox fresa rosa

- Tiempo de cocción de 15 a 30 min.

ingredientes
- 2 peras (por ejemplo, Williams Christ)
- 100 ml de zumo de granada
- 12 fresas
- 1 cucharada de bayas de goji
- 2 cucharadas de agua de rosas
- 1 cucharadita de jugo de lima
- 1 pizca de canela
- Cubitos de hielo (al gusto)

preparación
1. Preparar las frutas para la Bebida Detox Strawberry-Rose (dependiendo de la fruta, lavar, quitar la base de la flor, pelar, descorazonar y picar). Remoja las bayas de goji en un poco de agua y déjalas escurrir.
2. Pon las frutas y el resto de los ingredientes en una licuadora con los cubitos de hielo, mezcla y sirve de inmediato.

Bebida detox de mango y chile

- Tiempo de cocción de 15 a 30 min.

ingredientes

- 2 piezas de mangos (completamente maduros)
- 1/2 lima (jugo)
- Chiles (al gusto)
- 1/2 pieza Naranja orgánica (ralladura)

preparación

1. Para la bebida detox de mango y chile, primero lave el mango, pélelo y corte el hueso. Pica el mango en trozos pequeños según el poder de exprimido.
2. Lavar y escurrir la guindilla y quitar el tallo y los tabiques. Exprima el mango y la guindilla y mézclelos con los demás ingredientes.
3. Vierta la bebida en una jarra y diluya con agua al gusto. Sirve fría la bebida detox de mango y chile.

Desintoxicación de sopa de rábano

ingredientes

- 1 cucharadita de aceite
- 1 manojo de rábanos
- 1 tallo de apio
- 500 ml de agua
- 2 zanahorias (pequeñas)
- 1/2 cucharadita de sal de hierbas
- 1/2 pieza de cubitos de sopa (vegana)

preparación

1. Para la sopa de rábanos, calentar el aceite, picar la zanahoria y freír en el aceite. Pica los rábanos y agrégalos.
2. También corte el apio en tiras estrechas, saltee, vierta agua encima y sazone. Deje cocinar por unos 10 minutos.

Desintoxicación de batidos de otoño

- Tiempo de cocción de 5 a 15 min.
- Porciones 1

ingredientes
- 1/8 cabeza de col lombarda
- 2 manzanas
- 2 cucharadas de Powidl

preparación
1. Para el batido de otoño, corte un octavo de repollo rojo, use el repollo restante para otros fines. Corta el tallo del trozo de col roja.
2. Quita el corazón de las manzanas, la piel puede permanecer. Alisar finamente la col lombarda y las manzanas en la batidora, añadir el Powidl y beber la bebida rápidamente.

Sopa de ajo silvestre con margaritas

- Tiempo de cocción 30 a 60 min.
- Porciones 4

ingredientes
- 1 cucharada de mantequilla
- 1 cebolla
- 2 dientes de ajo

- 100 ml de vino blanco (seco)
- 50 ml de Noilly Prat
- 500 ml de sopa clara
- 300 ml de nata montada
- 20 gramos de harina
- 20 g de mantequilla
- 1 chorrito de jugo de limón
- sal
- Pimienta (recién molida)
- 4 cucharadas de pasta de ajo silvestre
- 50 g de hojas de perejil
- 150 g de ajo silvestre
- aprox. 150 ml de aceite de girasol
- aproximadamente 1 cucharadita de sal
- 1 puñado de margaritas

preparación

1. Para la sopa de ajo silvestre con margaritas, primero prepare la pasta de ajo silvestre: Escaldar el perejil y el ajo silvestre en agua con sal (escaldada) y enjuagar con agua helada para que se conserve el hermoso color verde. Expresa bien. Mezclar con aceite de girasol y sal.
2. Para la mantequilla de harina, amase bien 20 g de harina y 20 g de mantequilla. Deje reposar en la nevera.
3. Pica finamente la cebolla y el ajo. Calentar la mantequilla en una cacerola y asar las cebollas hasta que estén doradas. Agregue el ajo y tueste brevemente, luego desglasar con vino blanco y Noilly Prat. Vierta la sopa y la crema. Espesar con la harina de mantequilla y cocinar a fuego lento la sopa durante 15-20 minutos a fuego lento.
4. Agregue 4 cucharadas de pasta de ajo silvestre y sazone con sal, pimienta y un chorrito de jugo de limón.

5. La sopa de ajo silvestre en platos hondos y decorar decorar con margaritas.

Sopa de espárragos y ajetes

ingredientes

- 500 g de espárragos (blancos)
- 2 puñados de ajo silvestre
- 200 ml de nata montada
- 1 cucharadita de jugo de limón.
- 1 pizca de azucar
- 3 cucharadas de mantequilla (helada)
- sal
- Pimienta (recién molida)
- 1 litro de sopa de verduras o agua de cocción de espárragos

preparación

1. Para la sopa de espárragos y ajetes, pelar los tallos de los espárragos comenzando por la cabecera y quitar las puntas de los espárragos leñosos. Deja hervir los cuencos con una pizca de azúcar en 1 litro de agua con sal durante 10 minutos. Colar y llevar la infusión a ebullición nuevamente.

2. Enjuague las hojas de ajo silvestre con agua fría y pique en trozos grandes. Corta los espárragos en trozos. Primero cuece las puntas de espárragos en el caldo de espárragos durante unos 5 minutos y luego sácalas. A continuación, poner los espárragos y los ajetes y cocinar unos 12 minutos. Agregue la crema hacia el final del tiempo de cocción. Retirar del fuego y hacer puré con la batidora de mano.

3. Agregue la mantequilla helada en hojuelas y sazone la sopa con sal, pimienta y un poco de jugo de limón. Coloque las puntas de los espárragos en la sopa de espárragos y ajetes antes de servir.

Sopa de espárragos verdes

ingredientes

- 700 g de espárragos (verdes)
- 300 g de espárragos (blancos)
- 300 g de patatas
- 1 manzana
- 1000 ml de sopa de verduras
- 150 g de crema fresca
- sal
- Pimienta (recién molida)

preparación

1. Pele finamente los espárragos blancos en el tercio inferior de los tallos de arriba a abajo. No es necesario pelar los espárragos verdes. Corte los extremos inferiores pequeños (corte completamente las áreas leñosas). Lavar y escurrir ambos tipos de espárragos.
2. Cortar los espárragos en trozos, poner las cabezas a un lado. Enjuagar y pelar las patatas y las manzanas, quitar el corazón de la manzana y cortar ambas en trozos.
3. Hierve la sopa de verduras y cuece los trozos de verduras y manzanas durante 20 minutos a baja temperatura con la tapa puesta.
4. Hacer puré la sopa, incorporar la crème fraîche, sofreír las cabezas de espárragos durante 8 minutos a baja temperatura.
5. Sazone bien la sopa de espárragos con sal y pimienta recién molida.

Sopa de espárragos con caspa de madera

ingredientes
- 600 g de espárragos (blancos)
- 1 ramita (s) de aspa (ligeramente marchita)
- 1 pizca de azucar

- algo de sal
- Aceite de oliva (para freír)
- 1 cebolla
- 80 g de patatas
- 120 ml de nata montada
- un poco de pimienta (recién molida)
- un poco de nuez moscada
- 1 chorrito de jugo de limón

preparación

1. Para la sopa de espárragos asperjados, primero pele los espárragos y córtelos unos 2 cm por la parte inferior. Corta el resto en trozos pequeños. Recoge las conchas. Pelar y picar finamente la cebolla. Pelar las patatas y cortarlas en dados también.

2. Hervir alrededor de un litro de agua con las cáscaras de espárragos, la caspa, el azúcar y la sal. Luego apague la estufa y deje reposar la infusión durante unos 10 minutos. Luego vacíe a través de un colador.

3. Rehogar las cebollas en un poco de aceite. Agrega los espárragos y las patatas. Desglasar con el caldo y añadir la nata montada. Ponga la tapa y cocine a fuego lento durante unos 20 minutos. Luego sazone con nuez moscada recién rallada, jugo de limón, sal y pimienta.

4. La sopa de espárragos Woodruff hacer puré y servir.

Pasta con alcachofas y gambas

- Tiempo de cocción 30 a 60 min.
- Porciones 4

ingredientes

- 400 g de pasta (de su elección, p. Ej., Penne, espagueti, farfalle)
- 16 langostinos de primera calidad congelados (sin cáscara, descongelados)
- 25 g de cebollas congeladas Quality First (descongeladas)
- 200 g de alcachofas de primera calidad en escabeche
- 200 ml de nata montada
- 2 cucharadas de aceite de colza Quality First
- 4 cucharadas de vinagre balsámico Quality First
- 25 g de primeras hierbas italianas de calidad
- 1 queso parmesano (pequeño)
- sal
- pimienta

preparación

1. Cocine la pasta según las instrucciones del paquete en abundante agua con sal hasta que esté al dente y escurra.
2. Mientras se cocina la pasta, prepare la salsa: corte en cuartos las alcachofas. Calentar el aceite de colza en una

sartén y sofreír las cebollas, las gambas y las alcachofas. Desglasar con el vinagre y eso

3. Agregue la crema, reduzca un poco. Agrega la pasta y las hierbas italianas, revuelve brevemente y sazona bien con sal y pimienta.

4. Disponer en platos hondos y espolvorear la pasta con alcachofas y gambas con parmesano recién rallado o rallado al gusto.

Penne de espelta con uvas y tiras de pollo

ingredientes

- 450 g de helado de rake penne de espelta
- 1 pechuga de pollo
- 1 chalota
- 20 uvas (rojas, sin semillas)
- 50 ml de vino blanco
- 150 ml de nata montada
- 2 cucharadas de nueces (picadas)
- 1/2 manojo de perejil
- Aceite de girasol
- sal

- pimienta

preparación

1. El penne de espelta con uvas y tiras de pollo, primero pela la chalota y córtala en cubos pequeños, luego la pechuga de pollo en tiras finas.
2. Hervir la pasta en abundante agua con sal hasta que esté al dente, escurrir y reservar.
3. Dorar las chalotas, las uvas y las tiras de pollo con un poco de aceite de girasol por todos lados. Retirar de la sartén, desglasar el residuo del asado con vino blanco, verter la nata montada y reducir ligeramente.
4. Agrega las tiras de pollo y las uvas nuevamente y deja hervir a fuego lento un poco más. Antes de servir, revuelva las hojas de perejil y las nueces en el penne de espelta con uvas y tiras de pollo y sazone con sal y pimienta.

Dralli de espelta con espinacas tiernas y coco

ingredientes
- 400 g de Dralli de espelta de Recheis Naturgenuss
- 2 chalotes
- 2 cm de raíz de jengibre
- 1/4 vaina (s) de chile
- 200 ml de leche de coco

- 100 g de hojas tiernas de espinaca
- 1/2 lima (orgánica, ralladura y jugo)
- 3 cucharadas de aceite de girasol
- sal
- pimienta

preparación

1. Para el twist de espelta con espinacas baby y coco, pelar las chalotas y el jengibre y cortar en cubos pequeños, quitar el corazón y picar finamente la guindilla. Enjuaga las espinacas con agua fría.

2. Cocine el twist de espelta de acuerdo con las instrucciones del paquete, viértalo y reserve.

3. Freír las chalotas en aceite hasta que estén transparentes, agregar la salsa torcida y verter la leche de coco por encima. Sazone con chile, jengibre, jugo de limón y ralladura y sazone con sal y pimienta.

4. Agrega las hojas de espinaca, retira la sartén del fuego y revuélvela una vez para que las hojas de espinaca se colapsen. El Dinkel Dralli con espinacas tiernas y coco distribuir en platos hondos y servir de inmediato.

Tagliatelle con camarones

ingredientes

- 220 g de tagliatelle
- 1 diente (s) de ajo
- 1 cucharada de aceite de oliva
- 150 g de camarones
- 150 g de hierbas finas tradicionales Bresso (1 taza)
- 30 g de nata montada
- 1/16 l de leche
- pimienta
- sal
- Albahaca (fresca)

preparación

1. Para los tagliatelle con camarones, cocine los tagliatelle al dente. En una sartén sofreír el ajo finamente picado en aceite de oliva. Agrega los camarones y sofríe.
2. Agregue las hierbas finas tradicionales de Bresso, la crema y la leche y deje hervir brevemente. Sazone al gusto con sal y pimienta recién molida.
3. Añadir a los tallarines, mezclar bien y servir en platos precalentados. Espolvoree generosamente albahaca fresca picada encima y sirva inmediatamente.

Tagliatelle con calabacín y verduras de hinojo

- Tiempo de cocción 60 min.
- Porciones 4

ingredientes

Para la masa de pasta:

- 250 g de sémola de pasta fina de Fini
- 2 huevos (M)
- 1/2 cucharadita de sal
- 2 cucharadas de aceite de oliva
- 4 cucharadas de agua

Para las verduras:

- 1 tubérculo (s) de hinojo
- 1 calabacín (amarillo, pequeño)
- 2 chalotes
- 1 diente de ajo
- 1/2 cucharadita de semillas de hinojo
- un poco de ralladura de limón (orgánico)
- 50 ml de zumo de limón
- 150 g de crema fresca

Además:

- 100 g de almendras en copos
- sal

- pimienta
- 100 g de queso de oveja
- Aceite de oliva (para freír)
- Berro (para decorar)

preparación

1. Para los tallarines con calabacín-hinojo-verduras, primero combine todos los ingredientes de la masa de pasta en un bol y amase hasta obtener una masa suave. Envuelva la masa en film transparente y déjela reposar durante unos 20 minutos.
2. Tostar brevemente las hojuelas de almendra sin aceite.
3. Extienda la masa de pasta finamente sobre una superficie de trabajo enharinada. Enharinar bien ambos lados, enrollar el plato. Corta las tiras al ancho deseado. Deje secar un poco la pasta en una bandeja espolvoreada con harina y suelte para que se pegue.
4. Pelar y rallar el hinojo y el calabacín. Deja las hojas de hinojo a un lado. Picar finamente las chalotas y el ajo.
5. Hierva el agua con 1 cucharadita de sal en una cacerola grande.
6. Calentar el aceite de oliva, sofreír las chalotas y los ajos. Agrega el hinojo, el calabacín rallado, las semillas de hinojo, la piel de limón y sofríe durante 3-4 minutos. Desglasar con jugo de limón. Retire del fuego y agregue la crema fresca. Sal y pimienta.
7. Ponga la pasta en el agua hirviendo y cocine por 2-3 minutos hasta que esté al dente. Colar y agregar a las verduras con 2-3 cucharadas de agua de cocción. Picar las hojas de hinojo y mezclar. Los tallarines con calabacín e hinojo se colocan en los platos y se sirven espolvoreados con almendras en copos, berros y pecorino.

Pastel de semillas de amapola al horno en la taza

- Tiempo de cocción 60 min.
- Porciones 6

Ingredientes

- 4 huevos
- 90 g de azúcar
- 1 pizca de sal
- 50 g de mantequilla (líquida)
- 125 g de semillas de amapola (molidas)
- Mantequilla (para esparcir las tazas)
- Azúcar granulada (para espolvorear las tazas)
- Azúcar glas (para espolvorear)

preparación

1. Separa los huevos para el bizcocho de amapola. Batir las claras de huevo junto con 1/3 del azúcar y la sal hasta que estén firmes.
2. Batir las yemas junto con el azúcar restante hasta que esté espumoso y agregar las semillas de amapola y la mantequilla derretida.
3. Luego agregue las claras de huevo. Precalienta el horno a 170 grados. Extienda la mantequilla y el azúcar granulada

sobre pequeños moldes o tazas ignífugas y espolvoree por encima.

4. Vierta la mezcla de semillas de amapola, coloque las tazas en una bandeja para hornear y hornee por unos 20 minutos. Espolvorea con azúcar glas mientras aún esté caliente y sirve el bizcocho de semillas de amapola inmediatamente.

Granito de granada

- Tiempo de cocción 60 min.
- Porciones 4

ingredientes

- 2 uds. Naranjas sanguinas
- 2 piezas de limones
- 5 uds. Granadas
- 200 g Brunch Légere clásico
- 75 g de azúcar
- 1 paquete de azúcar de vainilla
- Menta (o gofres para decorar)

preparación

1. Para el granito de granada, exprime naranjas sanguinas y limas. Corta las granadas a la mitad y usa también un exprimidor de cítricos para extraer el jugo. Batir el jugo de naranja sanguina, lima y granada y hacer un brunch vigorosamente con la batidora de mano. Sazone al gusto con azúcar y azúcar de vainilla.
2. Colocar en un bol de metal y dejar congelar en el congelador durante unas 6 horas. Saque el granito y píquelo con el mango de una cuchara.
3. Poner el granizado de granada en vasos muy bien fríos, decorar con menta y pequeños gofres si lo desea y servir de inmediato.

Tartaletas de frutos rojos con crema de vainilla

- Tiempo de cocción 30 a 60 min.
- Porciones 4

ingredientes
- Mantequilla (para los moldes)
- 4 cucharadas de mermelada de frambuesa (otro tipo al gusto)
- 100 g de arándanos
- 100 g de frambuesas

- 1 puñado de moras
- 1 puñado de fresas
- 1 ramita (s) de menta

Para las bases de la tarta:
- 300 g de harina
- 200 g de mantequilla (temperatura ambiente)
- 1 yema de huevo
- 100 g de azúcar glas
- 1 pizca de sal

Para la crema:
- 1 paquete de natillas en polvo
- 500 ml de leche
- 2 cucharadas de azúcar
- 200 g de mascarpone
- 1 vaina de vainilla (pulpa raspada)
- 1/2 cucharadita de haba tonka (rallada)

preparación

1. Para las bases del bizcocho, amase una masa quebrada con los ingredientes indicados. Envolver la bola de masa en film transparente y dejar reposar en el frigorífico unos 20 minutos.

2. Mientras tanto, cocine un pudín para la crema de pudín en polvo, la leche y el azúcar de acuerdo con las instrucciones del paquete. Cubra inmediatamente la superficie con film transparente y deje enfriar el pudín.

3. Precalentar el horno a 200 ° C. Engrasar los moldes para tartaletas.

4. Extienda la masa de unos 5 mm de espesor sobre una superficie de trabajo enharinada y forre con ella los moldes, cortando los bordes que sobresalen. Pinchar las bases

varias veces con un tenedor y hornear en el horno caliente durante unos 10 minutos hasta que se doren.

5. Deje enfriar las bases de la torta durante unos minutos en los moldes, luego retire con cuidado y deje enfriar por completo en una rejilla para hornear.

6. Para terminar la crema, mezcla el mascarpone, la pulpa de vainilla y el haba tonka. Mezcle el pudín de vainilla enfriado con la batidora de mano hasta que quede suave, agregue la mezcla de mascarpone y mezcle todo en una crema suave.

7. Lave y clasifique las bayas y retire los tallos según sea necesario.

8. Cepille las bases de la torta enfriadas con mermelada y distribuya la crema uniformemente sobre ellas. Cubrir con las bayas decorativamente y decorar con menta al gusto y servir.

Tarta de yogur de fresa

ingredientes
Para la masa quebrada:
- 250 g de harina
- 2 cucharadas de azúcar
- 1 pizca de sal

- 1 paquete de azúcar vainillina
- 125 ml de aceite vegetal (neutro)
- 3 cucharaditas de yogur de leche desnatada

Para el llenado:

- 2 cucharadas de azúcar
- 3 hojas de gelatina
- 1/2 limón (sin tratar)
- 1 cucharada de azúcar fina
- 250 ml de yogur
- 1/2 vaina (s) vainilla (pulpa)

preparación

1. Para la masa quebrada, mezcle el azúcar, la harina, el azúcar de vainilla y la sal. Mezcle rápidamente el aceite y el yogur y amase hasta obtener una masa suave.

2. Enfriar la masa quebrada envuelta en papel de aluminio durante 1/2 hora. Precalienta el horno a 200 ° C. Extiende la masa finamente y úsala para untar un molde de bizcocho de frutas. Pincha el fondo con un tenedor y hornea la masa durante unos 10 a 15 minutos. Deje enfriar.

3. Enjuaga y seca las fresas. Remojar la gelatina en agua fría del grifo durante 5 minutos, exprimirla, calentarla con el jugo de limón en una cacerola y disolverla.

4. Mezcle el yogur con la pulpa de la vaina de vainilla y agregue la gelatina líquida, cucharada a cucharada. Retirar del fuego de la cocina, remover y dejar enfriar tibio.

5. Vierta sobre la masa quebrada terminada y distribuya las bayas enteras encima. Pelar la piel de limón en forma de espiral y cubrir con ella.

6. Espolvorea el pastel con azúcar fina para servir.

Milhojas de frutos rojos con crema de cuajada

ingredientes

- 1 paquete de láminas de hojaldre de strudel
- 40 g de mantequilla (líquida)
- 50 g de semillas de amapola (molidas)
- Azúcar glas (para espolvorear)
- 250 g de frambuesas
- Bálsamo de limón

Para la crema cuajada:

- 250 g de requesón
- 100 g de yogur
- 100 g de azúcar glas
- 1 cucharadita de azúcar de vainilla
- 50 g de semillas de amapola (molidas)
- 1 limón (sin tratar, jugo y ralladura)
- 250 ml de nata montada

preparación

1. Para el milhojas de frutos rojos con crema cuajada, primero precaliente el horno a 200 ° C de temperatura superior / inferior.
2. Revuelva el requesón con el yogur, el azúcar glas, el azúcar de vainilla, las semillas de amapola, el jugo de limón y la

ralladura hasta que quede suave. Batir la nata montada hasta que esté rígida y mezclar con la nata cuajada. Refrigerar.

3. Enrolle la masa de strudel, unte con mantequilla derretida y espolvoree con semillas de amapola y azúcar glas. Hornee en el horno durante unos 5 minutos hasta que esté crujiente. Deje enfriar.

4. Lavar y escurrir las frambuesas.

5. Extienda un poco de crema de cuajada en platos, rompa un trozo de la masa de strudel y coloque encima. Unta un poco más de crema cuajada y unas frambuesas encima y repite este proceso de tres a cuatro veces hasta obtener una pequeña torre. Sirva el milhojas de frutos rojos con crema de cuajada, adornado con frambuesas frescas y bálsamo de limón fresco.

Mousse de yogur de frambuesa

- Tiempo de cocción 30 a 60 min.
- Porciones 4

ingredientes

Para la mousse de frambuesa:

- 100 g de frambuesas (coladas)
- 0.5 limón (jugo exprimido)
- 130 g de crema pastelera Guma

- 40 g de azúcar glas

Para la mousse de yogur:

- 100 g de yogur natural
- 0.5 limón (jugo exprimido)
- 40 g de azúcar glas
- 130 g de crema pastelera Guma
- 1 clara de huevo
- 15 g de azúcar granulada

preparación

1. Para la mousse de yogur de frambuesa, enfríe previamente los vasos en el refrigerador. Para la mousse de yogur, bata la clara de huevo y el azúcar granulada en nieve.
2. Para la mousse de frambuesa, batir la crema de pastelería Guma hasta que tenga una consistencia firme pero aireada.
3. Agrega las frambuesas, el jugo de limón y el azúcar glas. Vierta la mezcla en los vasos y colóquela en un lugar fresco.
4. Para la mousse de yogur, batir la crema pastelera Guma hasta que tenga una consistencia firme pero aún aireada.
5. Mezcle el yogur, el jugo de limón y el azúcar glas y agregue las claras de huevo. Colocar sobre la mousse de frambuesa para que se creen 2 bonitas capas.
6. La mousse de yogur de frambuesa se refrigera durante al menos 6 horas en el refrigerador.

Ensalada de pasta con pesto genovés

- Tiempo de cocción de 15 a 30 min.
- porciones 4

ingredientes

- 300 g de farfalle
- 50 g de cohete
- 200 g de tomates cherry
- pimienta
- 80 g de bresaola
- 10 ml de sopa de verduras
- 5 ml de vinagre de vino blanco
- 3 cucharadas de Barilla Pesto Genovese
- 3-4 cucharadas de aceite de oliva

preparación

1. Pon a hervir abundante agua con sal para la ensalada de pasta. Agrega el farfalle y cocina hasta que esté al dente. Verter en un colador y enjuagar brevemente con agua fría para evitar que la pasta se pegue.
2. Mientras se cocina el farfalle, lavar la rúcula y escurrir bien.
3. Corta los tomates cherry a la mitad y sazona las superficies cortadas con sal y pimienta. Déjelo reposar brevemente.

4. Cortar la bresaola o en tiras estrechas. En un tazón grande, mezcle el caldo, el vinagre, el pesto genovés, la sal y la pimienta y luego agregue el aceite de oliva.
5. Antes de servir, agregue el Farfalle, la rúcula y los tomates cherry a la salsa y mezcle todo con cuidado. Sazone si es necesario.
6. Decora la ensalada de pasta con la bresaola.

sopa de verduras

- Tiempo de cocción 30 a 60 min.
- porciones 4

ingredientes

- 1 pieza de cebolla (pequeña)
- Algo de aceite
- 200 g de zanahorias
- 100 g de chirivías
- 100 g de guisantes
- perejil
- 200 g de patatas
- 1000 ml de agua

- sal

preparación

1. Para la sopa de verduras, sofreír la cebolla finamente picada en un poco de aceite hasta que esté transparente. Corta las zanahorias y las chirivías en trozos pequeños y ásalas bien. Picar el perejil y sofreír brevemente.
2. Agregue los guisantes congelados, sazone con sal. Vierta agua. Corta las patatas en cubos pequeños y agrégalas. Cocine hasta que esté suave.

Sopa de patatas y verduras con jamón de la Selva Negra

- Tiempo de cocción 30 a 60 min.
- Porciones 4

ingredientes

- 2 cebollas (pequeñas, blancas, peladas)
- 2 dientes de ajo (pelados)
- 1 zanahoria (pelada)
- 1 nabo (amarillo, pelado)
- 1/4 de apio (pelado)
- 1/4 barra (s) de puerro
- 100 g de jamón de la Selva Negra (loncheado)
- 1 pizca de azafrán
- 1 hoja de laurel

- 1 litro de sopa de verduras
- 10 g de hongos porcini (secos)
- 1/2 cucharadita de tomillo (seco)
- 1/2 cucharadita de semillas de alcaravea (molidas)
- 500 g de patatas (crudas, peladas)
- 200 ml de nata montada
- sal
- pimienta
- Aceite de girasol

preparación

1. Para la sopa de patatas y verduras con jamón de la Selva Negra, primero corta en dados finos la cebolla, el ajo, la zanahoria, la remolacha, el apio y el puerro. Cortar el jamón de la Selva Negra en finas tiras.
2. Tostar ligeramente el jamón en un poco de aceite. Agregue la cebolla y el ajo y ase incoloros. Agregue las hortalizas de raíz y ase brevemente. Agrega el azafrán y la hoja de laurel y vierte sobre la sopa.
3. Remojar los hongos porcini en un poco de agua tibia durante unos 5 minutos, picarlos finamente y agregarlos a la sopa con el líquido de remojo. Condimente con tomillo, semillas de alcaravea, sal y pimienta.
4. Cortar las patatas en dados aprox. 1 x 1 cm y cocínelos en la sopa durante unos 10-15 minutos. Sazone la sopa al gusto y retire la hoja de laurel.
5. Agrega la mitad de la crema batida a la sopa. Batir la otra mitad y decorar la sopa de patatas y verduras con jamón de la Selva Negra.

Sopa de verduras para AND SOY Maker

ingredientes

- 200 g de patatas
- 100 g de zanahorias
- 100 g de remolacha amarilla
- 100 g de calabacín
- Sopa de verduras (clara)
- 1 cucharada de aceite de oliva
- sal
- pimienta

preparación

1. Para la sopa de verduras, primero corte las verduras en cubos grandes. Ponga las verduras cortadas en cubitos, la sal, la pimienta y el aceite de oliva en la Y SOY Maker y rellénela con sopa de verduras clara (cantidad total entre las dos marcas).

2. Cierre el AND SOY, levántelo y seleccione el programa 2. La sopa de verduras estará lista después de unos 30 minutos. Luego sazone nuevamente al gusto.

Guiso con verduritas y pesto de ajetes

- Tiempo de cocción 30 a 60 min.
- Porciones 4

ingredientes

Para el guiso:

- 8 zanahorias (pequeñas, jóvenes)
- 100 g de guisantes
- 1 colinabo
- 150 g de guisantes
- 100 g de ruibarbo
- 3 rábanos
- 1 barra (s) de cebolletas
- 1 rama (s) de apio (verde)
- 500 ml de sopa de verduras
- sal
- pimienta

Para el pesto:

- 200 g de ajo silvestre
- 1 manojo de albahaca

- 50 g de piñones
- 30 g de parmesano (recién rallado)
- 100 ml de aceite de oliva
- sal
- pimienta

preparación

1. Para el pesto, corte el ajo silvestre (y si el ajo silvestre está demasiado caliente, agregue un manojo de albahaca) en trozos grandes.
2. Ase los piñones en una sartén sin aceite hasta que estén dorados, no triture todos los ingredientes en un robot de cocina o con un mortero, agregue el aceite de oliva, sazone con sal y pimienta.
3. Pele las zanahorias y córtelas en cubos, tiras o trozos pequeños, corte los rábanos en cuartos, el ruibarbo y el apio en cubos pequeños, corte los guisantes por la mitad, corte las cebolletas en aros finos.
4. Cubra las zanahorias, los rábanos con la sopa y cocine a fuego lento durante 5-8 minutos. Agregue los ingredientes restantes y cocine a fuego lento durante otros 5 minutos. Agrega el pesto y sazona al gusto con sal y pimienta.
5. Colocar el guiso en un plato hondo y decorar con un poco de albahaca.

Sopa de rábano

- Tiempo de cocción 30 a 60 min.
- Porciones 4

ingredientes

- 300 g de patatas
- 1 cebolla (mediana)
- 2 manojo de rábanos
- 2 cucharadas de aceite de oliva
- 375 ml de sopa de verduras
- 200 g de crema agria (o crème fraîche)
- sal
- pimienta
- nuez moscada
- Berro (para decorar)

preparación

1. Pelar las patatas y cortarlas en cubos pequeños. Pelar la cebolla y picar finamente. Enjuague bien los rábanos, pique en trozos grandes dos tercios de las hojas. Corta los rábanos en rodajas finas (y córtalos por la mitad si es necesario).
2. Calentar el aceite en una cacerola y sofreír la cebolla y las hojas de rábano picadas. Agrega las patatas y la sopa.

Cocine todo durante unos 15 minutos en una cacerola cerrada.

3. Haga puré la sopa con la batidora de mano. Agregue la crema agria o la crème fraîche. Deje que la sopa hierva brevemente y sazone con las especias.

4. Agrega las rodajas de rábano a la sopa de rábano.

5. Rellenar en platos o tazones de sopa y decorar con una cucharada de crème fraîche o crema agria y los berros.

Sopa de patatas con gambas

ingredientes

- 500 g de patatas (harinosas, peladas, cortadas en cubitos)
- 2 cebollas (finamente picadas)
- 1 cucharada de curry (suave)
- 2 cucharadas de mantequilla clarificada
- 750 ml de sopa de verduras
- 225 g de puerro (cortado en aros finos)
- sal
- Pimienta (recién molida)
- 250 g de gambas
- 100 ml de leche

- 100 ml de nata montada

preparación

1. Para la sopa de papas con gambas, primero saltee las papas, las cebollas y el curry en mantequilla clarificada caliente mientras revuelve.
2. Vierta la sopa y cubra y cocine durante unos 15 minutos.
3. Haga puré la sopa con la batidora de mano y sazone con sal, pimienta y posiblemente más curry.
4. Añadir las gambas, el puerro y la leche y llevar a ebullición una vez. Agregue la crema batida y sazone nuevamente al gusto.
5. La sopa de papa con camarones se poliniza para acompañarla con un poco de curry.

Sopa de patatas y champiñones con chips de jamón crudo

- Tiempo de cocción 30 a 60 min.
- Porciones 4

ingredientes

- 50 g de mantequilla
- 100 g de cebollas (finamente picadas)
- 20 gramos de harina

- 1 cucharada de mejorana
- 1 l de sopa de verduras (o agua)
- 500 g de patatas (harinosas, cortadas en cubos pequeños)
- 1 paquete de brunch de champiñones
- sal
- Pimienta (del molino)
- 4 hojas de jamón crudo (cortado)

preparación
1. Para la sopa de patatas y champiñones, derrita la mantequilla en una sartén y dore la cebolla, agregue la harina y la mejorana y ase brevemente.
2. Vierta la sopa o el agua, agregue el brunch y agregue las papas.
3. Cocine a fuego lento durante unos 30 minutos y sazone con sal y pimienta.
4. Colocar con cuidado el jamón crudo sobre papel de horno y hornear a 180 ° C durante unos 10 minutos. Sacar, dejar enfriar y quitar la bandeja de horno solo cuando esté fría.
5. Luego sirva los chips de jamón crudo en la sopa caliente de papas y champiñones.

Tartaletas veganas de frambuesa

Preparación: 1 h 45 min
Ingredientes
- 150 g de copos de avena delicados
- 100 g de harina de espelta tipo 1050
- 90 g de aceite de coco sólido
- 2 ½ cucharadas de sirope de arroz
- 375 g de cuajada de soja
- ½ vaina de vainilla
- 1 pizca de cáscara de limón orgánico
- 1 tallo de menta
- 75 g de frambuesas

Pasos de preparación
1. Ponga las hojuelas de avena y la harina de espelta en un bol, agregue aceite de coco, 1.5 cucharadas de jarabe de arroz y desmenuce rápidamente todo con las manos. Si es necesario, agregue 1-2 cucharadas de agua fría para que la masa quebrada no se seque demasiado. Forrar 6 moldes para tartaletas con la masa, pinchar las bases varias veces con un tenedor y hornear en horno precalentado a 180 ° C (horno ventilador: 160 ° C; gas: nivel 3) durante 7-10 minutos.

2. Mientras tanto, mezcle el quark de soja con 1 cucharada de sirope de arroz. Cortar por la mitad la vaina de vainilla a lo largo, raspar la pulpa y agregar al quark de soja. También agregue la ralladura de limón y revuelva la mezcla de quark hasta que quede suave.

3. Saca las tartaletas del horno y déjalas enfriar durante 5 minutos. Lavar la menta, agitar para secar y quitar las hojas. Unta las tartaletas de quark, decora con menta y frambuesas y sirve.

Batido de yogur de arándanos

- Preparación: 10 min.

ingredientes

- 600 g de yogur (3,5% de grasa)
- 1 plátano
- 100 ml de leche (3,5% de grasa)
- 1 pizca de vainilla en polvo
- 150 g de arándanos frescos
- 50 g de frambuesas congeladas
- 2 cucharadas de semillas de chía

Pasos de preparación

1. Agregue yogur, plátano, 100 ml de leche y vainilla en polvo a una licuadora y haga puré. Vierta 1/3 del batido en un recipiente y reserve.
2. Lavar los arándanos y escurrirlos en un colador. Agregue 120 g de arándanos al resto del batido en la licuadora junto con las frambuesas y las semillas de chía y tritúrelas finamente.

3. Divida el batido de arándanos entre 4 vasos o botellas con tapón de rosca. Unte encima el batido de yogur. Sirve adornado con el resto de arándanos o cierra la botella y llévatelo.

Sopa de frutas

- Preparación: 35 min

ingredientes
- 150 g de frambuesas
- 150 g de fresas
- 2 naranjas
- 1 pera madura
- 1 manzana pequeña
- 60 g de nueces de almendra blanca tostadas
- 4 cucharadas de jugo de limón
- 4 cucharadas de azúcar de caña integral
- 100 ml de zumo de manzana no concentrado
- 50 ml de jugo de arándano rojo jugo madre
- 250 ml de agua

Pasos de preparación
1. Clasifica las frambuesas. Limpiar, lavar y cortar las fresas por la mitad. Lavar la pera, cortarla por la mitad, quitarle el

corazón y cortarla en rodajas finas. Pelar y filetear bien las naranjas. Pelar la manzana y cortarla en cubos pequeños.

2. Caramelizar todo el azúcar de caña en una cacerola y desglasar con jugo de manzana, jugo de arándano y agua, luego cocine a fuego lento hasta que el azúcar se haya disuelto. Retire la cacerola del fuego y agregue la fruta al líquido caliente y al jugo de limón.

3. Mezclar las almendras, dejar enfriar y servir tibias o frías. Una cucharada de yogur o crema batida va bien con la sopa de frutas.

Crema de calabaza con avellanas

- Preparación: 40 min
- tiempo de cocción 1 h
- porciones 4

ingredientes
- 800 g de nuez moscada de calabaza
- ½ puerro varilla
- ½ barra de apio
- 2 ramas de romero
- 2 cucharadas de aceite de oliva
- sal

- pimienta
- 4 bayas de enebro
- 250 ml de cerveza sin alcohol
- 500 ml de caldo de verduras
- 80 g de semillas de avellana
- 30 g de mantequilla (2 cucharadas)
- 50 g de nata montada
- 180 g de yogur griego
- hojuelas de chile

Pasos de preparación

1. Pelar la calabaza, quitarle las semillas y las fibras y cortar la pulpa en trozos pequeños. Limpiar, lavar y picar el puerro y el apio. Lavar el romero, agitar para secar y picar finamente las agujas.

2. Caliente el aceite en una olla. Saltee los ingredientes preparados durante 6 a 8 minutos a fuego medio. Sazone con sal y pimienta, agregue las bayas de enebro y desglasar con cerveza. Reduzca el líquido a la mitad en unos 10 minutos. Vierta el caldo de verduras y cocine a fuego lento la sopa durante 25 minutos a fuego lento.

3. Mientras tanto, tuesta las avellanas en la mantequilla a fuego medio durante 3 minutos. Luego sácalo de la estufa.

4. Hacer puré la sopa con la crema, luego colar con una cuchara a través de un colador fino en una cacerola y sazonar al gusto. Extienda la sopa en tazones, rocíe con yogur y espolvoree con avellanas y hojuelas de chile.

Sopa de apio y calabaza

ingredientes

- 1 chalota
- 20 g de jengibre (1 pieza)
- 400 g de apio nabo (1 pieza)
- 400 g de calabaza hokkaido (1 pieza)
- 1 cucharada de aceite de oliva
- 1 l de caldo de verduras
- 1 cucharadita de cúrcuma en polvo
- ½ cucharadita de curry en polvo
- sal
- pimienta
- hojuelas de chile
- 1 rama de tomillo

Pasos de preparación

1. Pelar la chalota, el jengibre y el apio y cortar en cubos pequeños. Limpiar la calabaza, lavar, cortar por la mitad, quitar las semillas y cortar la pulpa en cubos pequeños.
2. Calentar el aceite en una cacerola. Saltee la chalota y el jengibre durante 2 minutos a fuego medio. Agregue las verduras y saltee durante 5 minutos. Vierta el caldo,

agregue la cúrcuma y el curry, sazone con sal y pimienta y cocine a fuego medio durante unos 20 minutos.

3. Mientras tanto, lave el tomillo, agítelo para secarlo y quítele las hojas.

4. Haga un puré fino de la sopa con una batidora de mano y sazone con sal y pimienta. Distribuya la sopa en platos hondos y decore con pimienta molida, hojuelas de chile y hojas de tomillo.

Bebida rápida de remolacha con cebollino

ingredientes

- 50 g de cebollas
- 1 diente de ajo
- 150 ml de jugo de remolacha

- 50 ml de jugo de zanahoria
- 3 cebolletas
- cubos de hielo

Pasos de preparación

1. Pelar la cebolla y el ajo. Cortar la cebolla en trozos y exprimirla sobre un vaso con una prensa de ajo.
2. Exprima el ajo, agregue bien la remolacha y el jugo de zanahoria. Agrega cubitos de hielo. Lavar las cebolletas, secar con agitación y decorar la bebida con ellas.

Mini tarta de queso con arándanos

- Preparación: 30 min.
- tiempo de cocción 2 h 30 min
- porciones 4

ingredientes

- 6 bizcochos de espelta sin costra de azúcar
- 2 cucharadas de jugo de limón

- 1 hoja de gelatina blanca
- 4 cucharadas de arándanos
- 1 pizca de vainilla bourbon en polvo
- 40 g de queso crema (2 cucharadas)
- 80 g de queso quark bajo en grasa (4 cucharadas)
- 1 cucharada de azúcar de caña integral
- 30 g de nata montada (3 el)
- 20 g de pistachos picados (2 cucharadas)

Pasos de preparación

1. Picar los dedos de bizcocho y rellenar en 4 vasos. Rocíe con un poco de jugo de limón.

2. Lavar los arándanos, clasificarlos, limpiarlos, escurrirlos bien, mezclar con la vainilla en polvo y dejar reposar durante 20 minutos.

3. Remoja la gelatina en agua fría. Mezclar el queso crema con el quark y el azúcar de caña integral, disolver la gelatina mojada en una cacerola a fuego lento (¡no hervir!) Y agregar 2 cucharadas de la mezcla de queso. Vierta la mezcla de nuevo al resto de la masa, revuelva hasta que quede suave e incorpore la crema batida.

4. Finalmente, agregue los arándanos y vierta la mezcla sobre los bizcochos. Espolvorear con pistachos picados y meter en el frigorífico durante 2 horas. Adorne cada tarta de queso con una galleta de corazón y sirva inmediatamente.

Cóctel de berros con pepino

- Preparación: 10 min.

ingredientes

- 1 caja de berro de jardín
- 350 g de pepino
- 100 ml de jugo de apio
- cubos de hielo

Pasos de preparación

1. Corta las hojas de berro de la cama con unas tijeras de cocina y reserva aproximadamente 1 cucharadita. Pon el resto en una licuadora.
2. Limpiar y pelar el pepino, cortar una rodaja gruesa y picar el resto en dados gruesos.
3. Tritura finamente los berros, el pepino, el jugo de apio y los cubitos de hielo en una licuadora a máxima potencia. Poner en un vaso, decorar con los berros y la rodaja de pepino.

Salsa mexicana

ingredientes

- 4 cebollas
- 3 dientes de ajo
- 400 g de tomates pelados (1 lata pequeña; peso del relleno)
- ½ traste de cilantro
- ½ traste de perejil de hoja plana
- sal
- pimienta

Pasos de preparación

1. Cortar los pimientos a lo largo, quitar las semillas, lavar y picar. Pelar y picar finamente las cebollas y los dientes de ajo. Lavar las hierbas, agitar para secar y picar. Llevar a ebullición todo junto con los tomates (incluido el jugo) en una cacerola. Condimentar con sal y pimienta.

2. Vierta la salsa en frascos que hayan sido enjuagados con agua caliente, cierre y deje enfriar. Deje reposar durante al menos 24 horas antes de servir.

Estofado de tahini y berenjenas

ingredientes

- 2 cucharadas de aceite de oliva
- 1 cebolla (roja)
- 2 dientes de ajo
- 900 g de tomates
- 1 1/2 cucharada de Kotányi VEGGY Classic
- 2 berenjenas
- 2 cucharadas de tahini
- 4 cucharadas de albahaca
- 2 cucharadas de semillas de sésamo

preparación

1. Para el guiso de tahini y berenjenas, primero caliente el aceite de oliva en una cacerola grande. Picar en trozos grandes la cebolla y el diente de ajo y sofreír en el aceite.
2. Lave y pique los tomates en trozos grandes y agréguelos a la cacerola. Agregue el Kotányi VEGGY Classic y cocine a fuego lento con la tapa cerrada durante 20 minutos hasta que los tomates se hayan disuelto.
3. Corta la berenjena en rodajas y agrégala a los tomates y continúa cocinando a fuego lento con la tapa cerrada hasta que esté tierna.

4. Agregue el tahini, luego lave y pique la albahaca y revuelva también.
5. Sazone al gusto con sal y pimienta.
6. Sirve el tahini y el guiso de berenjenas en platos hondos y decora con ajonjolí.

Batido rojo

ingredientes

- 1/4 piña
- 1/2 manojo de perejil
- 1 manzana
- 1 taza de frambuesas (frescas o congeladas)
- 100 ml de agua (según sea necesario)

preparación
1. Para el batido rojo, primero pela la piña y córtala en trozos pequeños.
2. Cortamos la manzana y picamos el perejil. Pon todos los ingredientes en una batidora de pie. Agregue agua según sea necesario. Mezclar todo bien.
3. Vierta el batido rojo en un vaso y sirva.

Batido de naranja y zanahoria

ingredientes

- 100 g de zanahorias
- 1 naranja
- 1 cucharada de semillas de girasol
- 100 ml de suero de leche
- 1 cucharada de berro

preparación

1. Lavar y rallar finamente las zanahorias. Pelar la naranja y cortarla en trozos grandes.
2. Ponga las zanahorias y las naranjas junto con las semillas de girasol y el suero de leche en una licuadora y haga un puré muy fino.
3. Agrega los berros y sirve.

Batido de mango y maracuyá

ingredientes
- 1 mango (muy maduro)
- 2-3 maracuyá
- un poco de menta (o bálsamo de limón, para decorar)

preparación
1. Para el batido de mango y maracuyá, primero pele el mango, corte la pulpa del corazón y píquelo en trozos grandes. Corta la fruta de la pasión por la mitad y raspa los huesos con una cuchara.
2. Tritura el mango y la maracuyá en una licuadora. Rellenar en vasos y decorar con menta o bálsamo de limón si es necesario. Sirve el batido de mango y maracuyá inmediatamente.

Batido de aguacate y jengibre

ingredientes

- 1 aguacate (maduro)
- 1/2 lima (jugo)
- 1 manzana (verde)
- 1 pieza de jengibre (del tamaño de una miniatura)
- 1/2 pepino
- 2 ramitas de menta

preparación

1. Para el batido de aguacate y jengibre, primero pela el aguacate y retira el corazón. Mezclar inmediatamente con el jugo de lima. Quite el corazón, pele y corte la manzana en trozos gruesos y agregue al aguacate. Pela el jengibre y el pepino y agrégalos también.
2. Mezclar bien todos los ingredientes. Si lo desea, puede agregar unos cubitos de hielo. El batido de aguacate y jengibre decora con ramitas de menta y sirve de inmediato.

Tazón de batido verde abundante

- Preparación: 15 minutos.
- porciones 4

ingredientes

- 100 g de guisantes (recién pelados o congelados)
- 25 g de berros
- 10 g de capuchinas
- 100 g de espinacas tiernas
- 10 g de hierbas (perejil, albahaca)
- 500 ml de caldo de verduras
- 2 cucharadas de aceite de oliva
- 30 g de pasto de trigo (polvo; 3 cucharadas)
- 2 cucharaditas de jugo de limón
- sal
- pimienta
- nuez moscada
- 40 g de bayas de goji secas (4 cucharadas)

Pasos de preparación

1. Ponga los guisantes en agua hirviendo durante 5 a 8 minutos. Luego enjuague con agua fría y deje escurrir.

2. Mientras tanto, lave los berros de agua, la capuchina, las espinacas y las hierbas, agite para secar y reserve algunos de los dos tipos de berros para la guarnición; corte grueso el resto.

3. Tritura finamente todo con los guisantes, aprox. 300 ml de caldo de verduras y aceite en una batidora.

4. Diluir el batido con el resto del caldo hasta obtener la consistencia deseada. Agregue el polvo de pasto de trigo y sazone todo con jugo de limón, sal, pimienta y una pizca de nuez moscada recién rallada. Divida el batido en tazones, espolvoree con el berro restante, la capuchina y las bayas de goji.

Sopa de verduras colorida con aceitunas

- Preparación: 20 min
- cocinar 45 min
- porciones 4

ingredientes
- 2 zanahorias
- 1 papa cerosa
- 1 puerro

- 2 postes de apio
- 1 tubérculo de hinojo
- 2 dientes de ajo
- 2 cucharadas de aceite de oliva
- 1 l de caldo de verduras
- 2 ramitas de tomillo
- 1 pimiento rojo
- 80 g de aceitunas negras
- 5 tallos de hierbas zb cebollino, perejil o albahaca
- sal pimienta del molino
- 1 cucharadita de vinagre de frutas

Pasos de preparación

1. Pelar las zanahorias y las patatas y cortarlas en trozos. Limpiar y lavar el puerro y cortar en tiras. Lavar el apio, quitar los hilos si es necesario y cortar en trozos de unos 0,5 cm de grosor. Limpiar, lavar, cortar el hinojo por la mitad, quitar el tallo y cortar en tiras.

2. Deja las hojas de hinojo a un lado. Pelar el ajo y cortarlo en dados. Freír en aceite caliente en una cacerola grande hasta que estén transparentes. Añadir el puerro, la patata, la zanahoria, el apio y el hinojo y desglasar con el caldo. Agregue el tomillo y cocine a fuego lento durante 15 a 20 minutos.

3. Mientras tanto, lave los pimientos, córtelos por la mitad, retire las semillas y la piel interior blanca y córtelos. Escurre las aceitunas y agrégalas a la sopa con pimentón durante otros 3 minutos. Luego lave las hierbas, agite para secar, pique finamente junto con las hojas de hinojo y agregue ambas. Sazone al gusto con sal, pimienta y vinagre. Sirva esparcido en platos o tazones.

Tortas de guisantes y menta

ingredientes

- 600 g de guisantes (recién pelados o congelados)
- sal yodada con fluoruro
- 5 g de menta (3 tallos)
- 50 g de queso de oveja (9% de grasa)
- 60 g de pan rallado integral (4 cucharadas)
- 1 huevo
- 5 g de maicena (1 cucharadita)
- pimienta
- pimienta de cayena
- 10 g de cebollino (0,5 manojo)
- 100 g de yogur (1,5% de grasa)
- 2 cucharaditas de jugo de limón
- 200 g de mezcla para ensalada
- 1 pepino
- 2 cucharadas de aceite de colza

Pasos de preparación

1. Ponga los guisantes en agua hirviendo con sal durante unos 5-8 minutos, enjuáguelos con agua fría y escúrralos bien.

Triturar la mitad de los guisantes con una batidora de mano y colocar en un bol; deje la otra mitad a un lado.

2. Lavar la menta, agitar para secar, quitar las hojas y picar finamente. Cortar el queso de oveja en cubos pequeños. Agregue los guisantes reservados, el pan rallado, la menta, el queso, el huevo y el almidón al puré de guisantes y revuelva para formar una masa. Condimente con sal, pimienta y pimienta de cayena y déjelo en remojo durante unos 20 minutos.

3. Mientras tanto, lave las cebolletas, agítelas para secarlas y córtelas en rollos. Mezclar yogur con jugo de limón y cebollino para hacer un aderezo y sazonar con sal y pimienta. Lave la lechuga mezclada y déjela secar. Limpiar y lavar el pepino y cortar a lo largo en rodajas finas.

4. Hornea los bizcochos uno tras otro en un molde rebozado. Para hacer esto, caliente 1 cucharada de aceite, agregue 4-6 porciones pequeñas de masa y hornee durante 4-5 minutos por cada lado a fuego medio. Utilice la masa restante con el aceite restante.

5. Acomodar las tortas con la mezcla de lechuga y pepino en platos y rociar con el aderezo.

Sopa de lentejas al curry con apio

ingredientes

- 20 g lentillas rojas
- 200 ml de caldo de verduras clásico
- 1 cucharadita de curry en polvo
- 25 g de apio (0,5 ramitas pequeñas)
- sal
- pimienta
- 1 cucharada de yogur (3,5% de grasa)

Pasos de preparación

1. Pon a hervir las lentejas y el caldo en un cazo. Agregue el curry en polvo y cocine tapado durante 6 minutos a fuego lento.
2. Mientras tanto, lavar el apio, escurrir, limpiar y quitar los hilos si es necesario. Deja las hojas de apio a un lado.
3. Corte el apio en rodajas finas de unos 5 mm, agréguelo a las lentejas y cocine tapado durante otros 3-4 minutos.
4. Enjuague las hojas de apio, agítelas para secarlas y córtelas en tiras gruesas.
5. Sazone la sopa de lentejas al curry con sal y pimienta. Espolvoree con hojas de apio y sirva con el yogur.

Jugo de vegetales saludables con jengibre

ingredientes

- 1 pepino
- 1 remolacha grande
- 5 barras de apio
- 2 zanahorias
- 25 g de jengibre (1 pieza de raíz de jengibre)
- 1 cucharadita de aceite de argán

Pasos de preparación

1. Lavar el pepino y cortarlo en cuartos a lo largo.
2. Lavar, limpiar y cortar en cuartos la remolacha.
3. Lavar, limpiar y quitar el apio del apio. Lavar las zanahorias y cortar las puntas.
4. Lava el jengibre y córtalo en trozos.
5. Procese las verduras en el exprimidor, mézclelas con aceite de argán y bébalas inmediatamente.

Cóctel picante de zanahoria con capuchinas

- Tiempo de cocción de 15 a 30 min.
- Porciones 4

ingredientes

- 20 g de capuchina (con flores; o berros; 0,5 manojo)
- 1 clementina
- 100 ml de zumo de zanahoria (sin azúcar)

Pasos de preparación

1. Lavar las capuchinas y secarlas bien. Deje 1-2 hermosas flores a un lado, pique aproximadamente el resto de los berros.
2. Corta la clementina a la mitad y exprime. Mezclar el jugo con el berro, el jugo de zanahoria y los cubitos de hielo en una licuadora. Verter en un vaso, verter agua mineral y decorar con flores de capuchino.

Cuenco frío de rábano y hierbas

- Tiempo de cocción de 15 a 30 min.
- Porciones 2

ingredientes

- 250 ml de suero de leche
- 3 cucharadas de jugo de limón
- 150 g de yogur (1,5% de grasa)
- 100 ml de leche (1,5% de grasa)
- 20 g de crema de rábano picante (1 cucharada; vaso)
- sal
- pimienta
- nuez moscada
- 200 g de rábanos (1 manojo)
- 40 g de hierbas mixtas (p. Ej., Perejil, menta, albahaca, cebollino; 2 manojos)

Pasos de preparación

1. Mezcle el suero de leche y el jugo de limón con el yogur y la leche. Agrega el rábano picante y mezcla. Sazone al gusto con sal, pimienta y nuez moscada recién rallada.
2. Lavar y limpiar los rábanos y cortarlos o rallarlos en palitos finos. Mezcle la mitad de la escofina de rábano en la sopa.

3. Divida la sopa en 2 tazones. Lavar las hierbas, agitar para secar, picar y esparcir sobre la sopa. Espolvorea con los rábanos restantes y sazona con una pizca de nuez moscada recién rallada.

Sopa fría de melón y tomate

- Preparación: 15 minutos.
- tiempo de cocción 1 h 15 min

ingredientes
- 1 limón orgánico
- 1 kg de sandía pequeña (0,5 sandías pequeñas)
- 400 g de tomates pelados (lata; cantidad de relleno)
- sal marina
- pimienta
- 4 tallos de albahaca
- 4 cucharadas de yogur (3,5% de grasa)

Pasos de preparación
1. Lave el limón con agua caliente, frótelo para secarlo y ralle finamente la mitad de la cáscara. Corta por la mitad y exprime el limón.

2. Corta el melón por la mitad con un cuchillo grande. Cortar en gajos, descorazonar, pelar y cortar en dados. Pon los tomates pelados y el líquido en un recipiente alto.

3. Agregue la cáscara y el jugo de limón y haga puré con una batidora de mano. Sal, pimienta y tapar y dejar reposar en el frigorífico durante 1-2 horas. Justo antes de servir, lave la albahaca, sacúdala para secarla y quítele las hojas. Sirve la sopa con hojas de albahaca y 1 cucharada de yogur cada una.

Batido de pepino, manzana y plátano

ingredientes

- 1 limón
- 1 plátano
- 4 manzanas ácidas (p. Ej., Granny smith)
- 1 perejil
- ½ pepino
- agua mineral para llenar
- 10 cubitos de hielo

Pasos de preparación

1. Corta el limón por la mitad y exprime el jugo. Pelar y cortar el plátano en dados. Limpiar, lavar y cortar las manzanas en cuartos, quitar el corazón y cortar la pulpa en dados.

Mezclar las manzanas con los cubos de plátano y el jugo de limón.

2. Lavar el perejil, agitar para secar y picar. Limpiar y pelar el pepino, cortarlo por la mitad a lo largo, quitar el corazón y cortarlo en trozos pequeños. Coloque 3 rodajas de pepino en 4 brochetas de madera.

3. Tritura finamente los pedazos de pepino restantes con la fruta, el perejil y el hielo en una licuadora. Dividir en 4 vasos, llenar con agua mineral hasta obtener la consistencia deseada y decorar con 1 brocheta de pepino cada uno.

Bebida de pepino con papaya y naranja.

ingredientes

- 200 g de papaya madura
- 250 g de mini pepinos
- 250 g de naranjas
- cubos de hielo

Pasos de preparación

1. Pelar la mitad de la papaya, cortar la pulpa en dados y colocar en una licuadora con las semillas.

2. Lavar bien el pepino, cortar 2 rodajas finas y reservar. Pelar y cortar en dados el resto del pepino y ponerlo también en la licuadora.

3. Pele las naranjas lo suficientemente gruesas como para quitarles la piel blanca. Corta dos rodajas de una naranja y reserva.

4. Corta las naranjas restantes en dados. Poner en la licuadora con los cubitos de hielo y hacer puré todo al máximo. Poner en un vaso alto y decorar con rodajas de pepino y naranja.

Mezcla de soja y berro

ingredientes

- ½ caja de berro de jardín
- 250 g de pepino (0,5 pepino)
- 2 cucharaditas de pimentón en polvo (rosa fuerte)
- 100 ml de bebida de soja (leche de soja) (1,2% de grasa)
- sal

Pasos de preparación

1. Corta los berros de la cama con unas tijeras de cocina y colócalos en una batidora de pie o en un recipiente alto.

2. Lavar bien la mitad del pepino, secar, secar, limpiar, cortar por la mitad, quitar el corazón y cortar en dados.

3. Pon 1 1/2 cucharaditas de pimentón en un plato. Humedece un vaso en la parte superior con 1 pieza de

pepino y presiónalo sobre el pimentón en polvo para crear un borde rojo uniforme.

4. Triturar los berros con cubitos de pepino, el pimentón restante, la bebida de soya, una pizca de sal en una licuadora o una batidora de mano y verter en el vaso preparado. Triturar los cubitos de hielo en un triturador de hielo y agregar con cuidado.

Batido de perifollo

- Preparación: 10 min.

ingredientes
- 2 perifollo
- 250 ml de jugo de apio
- 450 ml de suero de leche
- sal
- pimienta del molino
- perifollo para decorar

Pasos de preparación
1. Lavar el perifollo, agitarlo para secarlo, picarlo en trozos grandes, mezclar bien con el jugo de apio en una licuadora, agregar el suero de leche, mezclar nuevamente y sazonar con sal y pimienta.
2. Rellenar en vasos y servir adornado con perifollo.

Sopa de verduras colorida con repollo blanco

ingredientes

- 200 g de col blanca
- 1 calabacín
- 100 g de judías verdes
- 2 tomates
- 200 g de pulpa de calabaza
- 2 zanahorias
- 2 postes de apio
- 1 l de caldo de verduras
- 100 g de cogollos de coliflor
- 200 g de judías blancas (lata)
- sal
- pimienta del molino

Pasos de preparación
1. Limpiar y lavar la col blanca y cortar en trozos pequeños. Limpiar, lavar y cortar en rodajas el calabacín. Limpiar, lavar y cortar por la mitad las judías verdes.

2. Sumerja los tomates brevemente en agua hirviendo, retírelos, enjuáguelos con agua fría y quíteles la piel. Corta la pulpa en cubos.
3. Corta la calabaza en dados. Pelar las zanahorias, cortarlas por la mitad a lo largo y cortarlas en rodajas. Limpiar y lavar el apio y cortarlo en trozos pequeños.
4. Llevar el caldo a ebullición y añadir la coliflor, la col blanca, las judías verdes y blancas, la calabaza, la zanahoria y el apio. Cocine a fuego medio durante unos 5 minutos. Agregue el calabacín y los tomates y deje hervir a fuego lento durante otros 3-4 minutos. Las verduras aún deben morder. Finalmente, sazone con sal y pimienta.

Cóctel de verduras picante

ingredientes

- 300 g de pimiento verde pequeño (2 pimientos verdes pequeños)
- 5 cebolletas
- 200 g de apio (2 ramas)
- 200 g de pepino (1 pieza)
- 200 g de brócoli
- 12 tomates pequeños
- 2 pizcas de sal

- tabasco verde a voluntad

Pasos de preparación

1. Cortar por la mitad, quitar el corazón, lavar los pimientos y cortarlos en trozos grandes.
2. Limpiar y lavar las cebolletas. Limpiar y lavar el apio y, si es necesario, quitar los hilos.
3. Lave bien el trozo de pepino, frótelo para secarlo y córtelo en trozos.
4. Recorta y lava el brócoli y córtalo en floretes. Lave los tomates, reserve 4 tomates para la guarnición.
5. Exprima el resto de los tomates con el pimiento morrón, las cebolletas, el apio, el pepino y el brócoli en un exprimidor. Sazona al gusto con sal y Tabasco verde al gusto, vierte en vasos con cubitos de hielo y decora con los tomates reservados.

Batido de piña con suero de leche

Ingredientes

- 1 piña madura
- 6 tallos de menta
- 500 ml de suero de leche (frío)
- 30 g de sirope de agave (2 cucharadas)

Pasos de preparación

1. Pelar la piña, cortar las hojas y el tallo. Corta la piña en cuartos, quita el tallo y corta la pulpa en trozos pequeños.
2. Lavar la menta y secar con agitación. Arranque las hojas de 2 tallos y tritúrelas finamente con piña, suero de leche y sirope de agave en una licuadora.
3. Llene el batido en 6 vasos y decore con la menta restante y sirva inmediatamente.

CONCLUSIÓN

La dieta detox no es más que una dieta baja en calorías, a menudo particularmente restrictiva, seguida de abundante comida por períodos cortos después de períodos (por ejemplo, aniversarios, vacaciones) para purificar el cuerpo de las sustancias tóxicas acumuladas en los días anteriores. Es una creencia común que para desintoxicar nuestro cuerpo, necesitamos comidas líquidas o batidos, infusiones drenantes y alimentos alcalinos (frutas y verduras en general). Sin embargo, no hay evidencia científica de que tal práctica tenga algún tipo de efecto positivo en la salud.

El organismo no necesita alimentos desintoxicantes ni suplementos que, por cierto, no existen. Nuestros órganos, especialmente el hígado, contribuyen a eliminar los desechos metabólicos y las sustancias tóxicas, haciendo que las prácticas de desintoxicación de alimentos sean completamente inútiles todos los días.

Ciertamente, después de un periodo en el que te has dado un poco más en cuanto a alimentación, sobre todo si estás intentando adelgazar o mantener la forma física, un miniperiodo de mayor restricción energética puede ser una buena solución. Pero no hay razón para eliminar ciertos alimentos o seguir prácticas extremas que pueden hacer más daño que bien, como el ayuno prolongado o el consumo de numerosas infusiones drenantes.

Libro de cocina de dieta renal

Más de 50 recetas saludables y nutricionales para controlar los niveles bajos de potasio, sodio y fósforo

Andrea Garcia

INTRODUCCIÓN

La insuficiencia renal tiene muchas causas posibles; algunos provocan una disminución rápida de la función renal (lesión renal aguda, también llamada insuficiencia renal aguda) y otros conducen a una disminución gradual de la función renal (insuficiencia renal crónica, también llamada enfermedad renal crónica). Además de no poder filtrar el metabolito de desecho de la sangre, los riñones, además de no poder filtrar el metabolito de desecho (creatinina, urea), tienen una menor capacidad para controlar la cantidad y distribución de agua en la sangre. cuerpo, la concentración de electrolitos en él (sodio, potasio, calcio, fosfato) y las concentraciones de ácido en la sangre.

En las etapas iniciales de la insuficiencia renal, a menudo hay un aumento de la presión arterial. Los riñones pierden su capacidad para producir cantidades suficientes de una hormona (eritropoyetina) que estimula la formación de nuevos glóbulos rojos, lo que conduce a niveles bajos de glóbulos rojos (anemia). Los riñones tampoco producen suficiente calcitriol, que es la forma activa de vitamina D, vital para la salud ósea. Es probable que los niños y adultos diagnosticados con insuficiencia renal tengan huesos quebradizos o huesos muy debilitados debido a que los huesos no se desarrollan adecuadamente.

La insuficiencia renal puede afectar a las personas mayores más que a las personas más jóvenes, ya que afecta a los propios riñones. En las personas mayores, la disminución de la actividad renal aumenta el riesgo de insuficiencia renal e hipertensión sensible a la sal. Muchas enfermedades del riñón se pueden tratar, al igual que las afecciones renales se pueden curar o tratar. Introducida con la invención de la diálisis y el trasplante de riñón, la insuficiencia renal (que solía ser fatal) ahora se ha convertido en una enfermedad tratable.

CAPÍTULO UNO
Entendiendo la enfermedad renal

La insuficiencia renal es una afección de los riñones y significa que ya no funcionan completamente dentro de los parámetros normales. En estas condiciones, los riñones ya no cumplen su función principal: eliminar sustancias tóxicas, agua y otros compuestos nocivos del organismo. Posteriormente, los residuos quedan retenidos en el organismo.

La insuficiencia renal también se conoce como enfermedad renal crónica (ERC) y puede provocar diversas complicaciones. Por tanto, es importante conocer sus causas, síntomas y cómo se diagnostica la enfermedad y el tratamiento que los médicos suelen recomendar a los pacientes que padecen esta enfermedad.

¿Cuál es el papel de los riñones en el cuerpo?

Los riñones son órganos emparejados y tienen forma de frijoles. Se ubican retroperitonealmente, a ambos lados de la columna. Un riñón pesa alrededor de 150 gramos en adultos, mide 12 centímetros de largo, 6-7 centímetros de ancho y 3 centímetros de grosor.

Las funciones principales de los riñones incluyen:

- eliminación de los productos del catabolismo: el proceso metabólico mediante el cual las moléculas complejas de ciertas sustancias energéticas, como lípidos, proteínas y carbohidratos, se transforman en otras más simples y, posteriormente, se eliminan para producir energía;

- eliminación del exceso de agua de la sangre;
- regular los niveles de minerales (calcio, sodio, potasio) en la sangre;
- producción de hormonas importantes para el funcionamiento del cuerpo: eritropoyetina (apoya la producción de glóbulos rojos), renina (regula el volumen sanguíneo y la presión arterial).

Todos los días, los riñones filtran unos 200 litros de sangre y producen unos 2 litros de orina.

Las etapas de la insuficiencia renal crónica.

La insuficiencia renal crónica ocurre cuando sufre la pérdida gradual y permanente de sus funciones renales. No existe un medicamento específico para remediar estas patologías, pero puede retrasar su progresión.

Las cinco etapas de la enfermedad.

Los riñones se consideran normales y saludables siempre que tengan una función de filtración normal y no haya sangre ni proteínas presentes en la orina. El nivel de función de filtración depende de la edad y de muchos otros factores que pueden afectar los riñones. Si su función renal se reduce permanentemente, se considera que padece una enfermedad renal crónica. Los riñones pueden perder gradualmente su capacidad para filtrar los productos de desecho de la sangre. El proceso de desarrollo de la insuficiencia renal cónica se desarrolla en 5 etapas: en las etapas 1 a 4, se hace todo lo posible para preservar las funciones renales;

en la última etapa, el tratamiento de diálisis o un trasplante son las únicas alternativas para paliar la función renal.

Etapas 1 y 2: puede que no te des cuenta

En las etapas 1 y 2, probablemente no sepa que tiene una función renal reducida. Si su médico ha hecho el diagnóstico, es posible que deba tomar medicamentos. Es importante que su presión arterial se controle con regularidad y que esté bien controlada. Si tiene diabetes, debe controlar sus niveles de azúcar en sangre con regularidad. Junto con su médico, puede mantener esta situación bajo control.

Etapa 3: Necesidad de actuar

En la etapa 3, su función renal es solo del 30 al 60% de su capacidad total. Debe estar en contacto con un equipo de atención médica para evaluar su condición con regularidad. Ahora es muy importante monitorear el progreso de su enfermedad y hacer todo lo posible para frenarla. En este punto, el objetivo es retrasar y, si es posible, evitar la progresión a las etapas 4 y luego 5. Es probable que se le recete más de un medicamento y deberá seguir una dieta y un programa. ejercicio físico. En consulta con su médico y el equipo de atención médica, debe comenzar a anticipar las consecuencias de la enfermedad y posiblemente la necesidad de diálisis o un trasplante de riñón.

Etapa 4 y 5: sus riñones ya no pueden realizar su función

La insuficiencia renal ocurre cuando los riñones han perdido alrededor del 85-90% de su capacidad de filtración. Esto resulta en una acumulación de desechos, agua y otras sustancias en su sangre, que pueden ser peligrosas. Cuando la enfermedad ha progresado a esta etapa, se debe considerar la diálisis o un trasplante de riñón para mantenerse con vida. Entonces es el momento de que usted decida qué tratamiento es posible y cuál es el mejor para usted.

¿Cuáles son las causas de la insuficiencia renal?

Varias causas, que incluyen: puede desencadenar insuficiencia renal

- glomerulonefritis: afecta el sistema de filtración de los riñones;
- diabetes tipo I y II: pueden provocar nefropatía diabética, una de las causas de insuficiencia renal crónica;
- hipertensión incontrolada;
- enfermedad poliquística hereditaria;
- administración regular de analgésicos como acetaminofén o ibuprofeno durante un período prolongado; pueden causar nefropatía por analgésicos, una de las causas de insuficiencia renal;
- aterosclerosis, que puede causar nefropatía isquémica, otra causa de enfermedad renal;
- la presencia de cálculos vesicales, estenosis, tumores o adenomas de próstata que obstruyen el tracto urinario;
- patologías vasculares, como artritis, vasculitis o displasia fibromuscular;
- trastornos articulares y musculares que requieren el uso regular de soluciones antiinflamatorias;
- herencia genética

El riesgo de insuficiencia renal también existe en personas que:

- está infectado con el VIH;

- el consumo de drogas;
- sufre de amiloidosis: implica la acumulación anormal de amiloide (una proteína) en varios tejidos u órganos;
- sufre de enfermedad autoinmune crónica eritematosa sistémica;
- tiene cálculos renales;
- sufre de infecciones renales crónicas.

¿Cuáles son los síntomas de la insuficiencia renal?

La evolución de la insuficiencia renal es lenta y, por ello, los síntomas de la enfermedad no son muy evidentes. Estos son:

- color oscuro o turbio de la orina;
- micción frecuente;
- baja cantidad de orina;
- dolor al orinar;
- edema de los párpados, miembros superiores e inferiores;
- hipertensión;
- dolores de cabeza
- calambres musculares.

Con la evolución de la enfermedad, también existe el riesgo de ataques epilépticos o confusión mental. Otros síntomas también pueden indicar complicaciones:

- Dolor de pecho;

- disnea (dificultad para respirar);
- náuseas vómitos;
- Sangrado severo;
- pérdida de consciencia;
- dolor severo en las articulaciones

Cómo diagnosticar la insuficiencia renal

El diagnóstico de insuficiencia renal se realiza mediante análisis de sangre y orina, que el médico puede recomendar si existe la sospecha de la presencia de esta afección. Estos pueden incluir:

- creatinina sérica: un aumento en su nivel puede ser el primer signo de insuficiencia renal aguda;
- BUENO: representa el contenido de nitrógeno de la urea. Un alto nivel de BUN (nitrógeno ureico en sangre) significa la presencia de insuficiencia renal;
- hemoleucograma: es útil para detectar enfermedades o infecciones que pueden provocar insuficiencia renal, ya que proporciona detalles importantes sobre los glóbulos rojos, los glóbulos blancos y las plaquetas.

En cuanto a las pruebas de orina que se pueden realizar para el diagnóstico, ayudan a obtener información sobre el sedimento urinario o los eosinófilos urinarios; estos últimos, presentes en la orina, pueden indicar una reacción alérgica dañina en los riñones.

La resonancia magnética nuclear (resonancia magnética nuclear) y la tomografía computarizada (tomografía computarizada) son otras investigaciones que pueden ayudar al médico a diagnosticar la insuficiencia renal, lo que permite una vista detallada de los riñones.

Su médico también puede recomendar una biopsia renal, que consiste en extraer tejido del parénquima renal mediante la inserción de una aguja especial, para hacer un diagnóstico correcto. En la mayoría de los casos, esto se hace, si es necesario, después de que otras investigaciones no pudieron establecer un diagnóstico preciso. El método no se recomienda para pacientes con cáncer de riñón.

¿Cuál es el tratamiento para la insuficiencia renal?

La insuficiencia renal no se puede curar, pero se puede mantener bajo control. Los primeros pasos que debe tener en cuenta una persona con esta afección incluyen cambios en la dieta. Es necesario reducir la ingesta de proteínas, ralentizar la acumulación de residuos en el organismo y limitar las manifestaciones asociadas a la enfermedad renal.

Posteriormente o en paralelo con la aplicación de estas medidas, el médico también podrá recomendar la administración de un tratamiento farmacológico, para varios fines:

- para corregir o tratar la causa que provocó la aparición de insuficiencia renal;
- para apoyar el funcionamiento de los riñones hasta que sanen;

- para prevenir o tratar las complicaciones de la insuficiencia renal.

El tratamiento que el médico recomienda a los pacientes que padecen insuficiencia renal depende de la causa que provocó la aparición de la afección. Si el tratamiento con medicamentos no da los resultados deseados y la función renal se deteriora, el paciente puede necesitar diálisis o un trasplante de riñón.

CAPITULO DOS
Pasos para controlar la insuficiencia renal crónica

Busque tratamiento para la hipertensión

La presión ahora se considera la principal causa de insuficiencia renal crónica. Según el nefrólogo Nestor Scho, profesor de la Unifesp, el aumento de la presión arterial daña los vasos sanguíneos de los riñones y puede causar nefropatía hipertensiva. "De esta forma, el órgano se sobrecarga y poco a poco pierde su capacidad de filtrado", explica. El cuidado de la hipertensión es fundamental incluso cuando no es la causa de la insuficiencia renal crónica, ya que se vuelve aún más importante en la etapa avanzada de la enfermedad.

Control de la diabetes

"La diabetes es la segunda causa principal de insuficiencia renal crónica", dice el nefrólogo Lucio Roberto Requião Moura del Hospital Israelita Albert Einstein. Esto se debe a que la enfermedad desencadena la llamada nefropatía diabética, un cambio en los vasos renales que conduce a una pérdida de proteínas en Además, la diabetes favorece la aterosclerosis, la formación de placa grasa en las arterias que dificulta el trabajo de filtración de los riñones. Con el tiempo, más y más sustancias tóxicas quedan atrapadas en el cuerpo, provocando la muerte. Por lo tanto, una forma de detectar la El problema es hacer análisis de orina para saber si la proteína está siendo eliminada.los que ya han sido diagnosticados con diabetes deben ser más conscientes de la salud de sus riñones.

Cuidado con el peso

Las personas con sobrepeso (descubra su peso ideal) tienen un mayor riesgo de desarrollar hipertensión y diabetes, razón suficiente para no dejar que la mano de la báscula se eleve, dice el nefrólogo Lucio. A esto se suma que la obesidad altera la forma en que la sangre llega a los riñones por influencia de ciertas hormonas, sobrecargando el órgano. Además, el sobrepeso es un factor de riesgo de colesterol y triglicéridos altos.

Adapta tu dieta

Cuando se trata de alimentos, es fundamental analizar la enfermedad subyacente que desencadenó la insuficiencia renal. Por ejemplo, si se trata de diabetes, la dieta debe ser la adecuada para quienes padecen diabetes. Si es hipertensión, entonces debe reducirse la ingesta de sal. "Sin embargo, en general, se recomienda que el paciente evite la ingesta excesiva de proteínas, especialmente de origen animal, que dan lugar a elementos tóxicos en el organismo que harían trabajar más los riñones", explica el nefrólogo Nestor. En casos específicos de insuficiencia aún, puede haber retención de potasio en el cuerpo. Los pacientes con este problema necesitan preparar los alimentos de manera que liberen parte de este nutriente. Las verduras, por ejemplo, deben cocinarse.

Consultar sobre medicamentos

La automedicación es peligrosa incluso para personas sanas. Para aquellos con insuficiencia renal, sin embargo, el uso sin una evaluación médica adecuada puede acelerar el deterioro de los riñones. "Los más peligrosos son los antiinflamatorios no hormonales", advierte el nefrólogo Lucio. Por lo tanto, explique su problema al comienzo de cada cita médica para evitar agravar la enfermedad.

Manera de beber alcohol

Aunque no hay estudios que prueben la relación aislada entre la ingesta de alcohol y la insuficiencia renal crónica, el abuso de alcohol compromete el funcionamiento del organismo en su conjunto. Por tanto, se recomienda manejar el consumo. Sin embargo, si está tomando una copa, el nefrólogo Nestor aconseja optar por el vino. "Contiene antioxidantes que pueden ayudar a eliminar las toxinas concentradas en el cuerpo.

Apaga el cigarrillo.

"Los cigarrillos son responsables de empeorar los niveles de presión arterial y aún están involucrados con cambios hormonales que empeoran la función renal", explica el nefrólogo Lucio. Además, fumar desencadena un efecto de vasoconstricción, disminuyendo el volumen de sangre filtrada por los riñones. En este caso, no existe la opción de moderación. El paciente debe acabar con la adicción.

Ejercicios de práctica

La última atención recomendada para quienes padecen insuficiencia renal crónica es el ejercicio regular. "Previene la diabetes, la hipertensión, la obesidad, entre otros problemas, y mejora la circulación y la función renal", dice el nefrólogo Nestor. Según él, cualquier actividad ya es mejor que la inactividad física. Aún así, siempre se recomienda buscar una formación que agrade al paciente para no sentirse desanimado con el tiempo.

Una dieta para la enfermedad renal crónica

La enfermedad renal crónica (ERC) se refiere al deterioro continuo de los riñones que progresa con el tiempo (conozca más sobre la relación entre IRC ERC aquí. Se detecta clínicamente cuando la tasa de filtración glomerular (TFG) cae por debajo de 60ml / min durante al menos tres meses , no es hasta que desciende por debajo de 30ml / min que se produce una sintomatología marcada.

"Una vez que se ha detectado el IRC, la dieta se convierte en una estrategia inigualable para ayudar a prevenir o retrasar el deterioro de los riñones, por lo que lo que comemos y bebemos se vuelve importante".

Las recomendaciones de la dieta de la persona con IRC variarán según el estadio y las características de la propia enfermedad. Aún así, deben tener en cuenta, necesariamente, los siguientes parámetros:

Control de la ingesta proteica: Se debe realizar una restricción de las proteínas de la dieta porque las sustancias derivadas de su metabolismo (urea, creatina, fosfatos) aceleran la evolución de la enfermedad.

Control de la ingesta de sodio: En la insuficiencia renal, los riñones no pueden eliminar el exceso de sodio para mantener el equilibrio del cuerpo. Además, el sodio interviene en nuestra presión arterial y favorece la retención de líquidos, además de provocar una sensación de sed más excelente, que puede comprometer la ingesta de líquidos.

Control de la ingesta de potasio: El potasio es un mineral esencial para mantener la función nerviosa y muscular saludable. En la insuficiencia renal, el riñón no puede eliminar el potasio que ingerimos, pudiendo producir, si se acumula en exceso, debilidad muscular, calambres, e incluso comprometer nuestro ritmo cardíaco.

Ingesta de fósforo: El fósforo es un mineral presente en todos los alimentos, aunque en cantidades variables. En la insuficiencia renal, se acumula en la sangre y es responsable de la calcificación vascular y del deterioro progresivo de los huesos.

Entre estos parámetros, según el estado de la patología, también se debe tener en cuenta la ingesta de líquidos, por lo que esta ingesta debe adaptarse a la hidratación y al estado de diuresis de la persona, o bien, el nefrólogo determinará el volumen de líquido que puede ingerir

Uno de los riesgos más comunes de este tipo de dieta restringida en proteínas es la desnutrición. Debemos asegurar una ingesta calórica adecuada. Para ello, teniendo en cuenta el aporte de hidratos de carbono (componente principal de alimentos como el arroz o la fruta) que le corresponda, resultará una buena opción - en este caso, tomarlos en su versión refinada (por ejemplo, en harina , pasta, etc.), ya que las versiones integrales tienen altas cantidades de minerales, especialmente fósforo. Con la misma finalidad, los lípidos (normalmente llamados 'grasas', son el componente principal de alimentos como el aceite, la mantequilla, salsas como la mayonesa, etc.), también nos aportarán calorías, contribuyendo a enriquecer nuestra dieta. Aún así, será necesario elegir aquellos ricos en grasas insaturadas (como el aceite de oliva).

Para facilitar que la ingesta de minerales con implicación en la patología corresponda a la restricción indicada, será fundamental conocer el contenido de estos en los alimentos y sus frecuencias de consumo recomendadas. Asimismo, para reducir este contenido mineral de los alimentos a consumir, será importante seguir algunas recomendaciones sobre las técnicas de cocción que se utilizan para prepararlos. Estos consejos y recomendaciones culinarias facilitarán la eliminación de una parte de este contenido mineral para que la ingesta sea aún menor.

Para un adecuado establecimiento de este tipo de planificación alimentaria será muy importante la lectura de las etiquetas nutricionales. Suelen ser una completa fuente de información que nos permitirá elegir los alimentos más adecuados. Asimismo, debemos atender al concepto de ración, ya que será necesario ajustar las proporciones de algunos grupos de alimentos, con especial atención a las proteínas, y así no comprometer la salud.

Alimentos no permitidos

- Alcohol y bebidas espirituosas

Para reducir el sodio

- Cubos de caldo, extractos de carne
- Alimentos en salmuera, salados, en aceite (alcaparras, aceitunas, conservas de carnes o pescado)
- Margarina, mayonesa, mostaza, otras salsas

- Leche en polvo
- Aperitivos salados, cacahuetes, palomitas de maíz

Para reducir el fósforo

- Embutidos en general y embutidos
- Quesos excepto ricotta y mozzarella
- Chocolate
- levadura
- Despojos (hígado, riñón, corazón, cerebro, etc ...) y carnes grasas: cordero, oca, pato, gallina, caza.
- Yema
- Verduras secas
- Fruta seca
- Camarón
- Harinas
- Salvado

Para reducir el potasio

La limitación de alimentos ricos en potasio debe realizarse únicamente por indicación precisa del nefrólogo tratante. Muchos alimentos ricos en potasio tienen importantes beneficios para la salud y pueden ayudar a prevenir la aparición de enfermedades cardiovasculares tan frecuentemente asociadas a esta patología.

- Frutas como uvas, plátanos, castañas, cocos, kiwis, frutos secos.
- Jugos de fruta
- Alcachofas y espinacas
- Patatas
- Salvado
- Productos integrales

- Sales dietéticas
- legumbres
- Hongos
- Salchichas
- jamón
- Soja
- Cacao amargo y chocolate
- Leche en polvo
- Perejil
- Sardinas, sardinas, pescado seco
- levadura

Alimentos permitidos con moderación

- Sal. Es una buena idea reducir la cantidad agregada a los platos durante y después de la cocción y limitar el consumo de alimentos que contienen naturalmente cantidades elevadas (alimentos enlatados o en salmuera, frutos secos y extractos de carne, salsas tipo soja). La sal común no debe sustituirse por "sales dietéticas" porque son ricas en potasio.
- Vino cc 100 para el almuerzo y cc 100 para la cena o cerveza cc 150 para el almuerzo y cc 150 para la cena, sujeto a autorización médica.
- Café. Limite el consumo, si el médico no lo prohíbe por completo, a dos tazas al día.
- Miel, mermelada, azúcar. Libre de fósforo pero para consumir con moderación debido al contenido de azúcares simples.

Para reducir el sodio

- Pizza, pan, galletas y palitos de pan.

Para reducir el fósforo

- Leche, yogur, nata
- Pasta, arroz, cebada
- Legumbres frescas
- Chocolate
- Pescado
- Quesos frescos como ricotta y mozzarella

Alimentos permitidos y recomendados

- Pasta, pan, arroz
- Pan toscano. El pan toscano se puede reemplazar con palitos de pan sin sal o bizcochos sin sal
- Los alimentos sin proteínas producidos especialmente sin proteínas pueden mejorar la palatabilidad de la dieta, como pan, pasta, arroz, harina, galletas saladas, bizcochos, bizcochos y permitir porciones más aceptables de platos que contienen proteínas animales. Estos alimentos también están disponibles en los supermercados.
- Carnes, de todo tipo excepto las muy grasas. Elija las partes más magras y menos veteadas. La piel de las aves de corral debe desecharse.
- Pescado fresco o congelado excepto variedades grasas. El pescado fresco debe lavarse con abundante agua corriente, porque a veces se almacena en agua y sal o bajo hielo y sal antes de venderse.
- Hortalizas, tanto frescas como congeladas, excepto legumbres (frijoles, garbanzos, lentejas, habas, guisantes). Las setas y las alcachofas solo se pueden consumir ocasionalmente.

- Excepto por la mencionada anteriormente, la fruta se puede comer tanto fresca como cocida, en una ensalada de frutas o en puré sin agregar leche.
- Condimentos, favorezca el uso de aceite de oliva virgen extra o elija aceite de semilla (no de varias semillas sino de una sola semilla, por ejemplo, aceite de maíz, aceite de cacahuete, aceite de girasol).
- Agua natural o mineral.
- Especias y hierbas

Dieta renal Plan de comidas

Día 1

Mañana: té de hierbas al gusto, pan integral con quark bajo en grasa, sazonado con semillas de alcaravea recién molidas, pimentón, cúrcuma

Almuerzo: Sartén de pasta de zanahoria con cebolletas y piñones. Para ello, cuece la pasta de cinta de trigo integral hasta que esté blanda, sofríe las zanahorias y las cebollas en un poco de aceite de cártamo durante el tiempo de cocción, luego asa los piñones y agrégalos. Mezcle todo en una fuente grande, sazone con hierbas frescas como el perejil y vierta unas gotas de ricotta por encima.

Noche: verduras al horno. Para ello, lave las batatas, pimientos morrones, cebollas, ajos, patatas, berenjenas (elija según su gusto), córtelas en tiras y colóquelas en una bandeja untada con aceite de oliva, hornee a 200 grados, sazone con hierbas frescas como Romero. Si es demasiado seco para usted: sazone el yogur desnatado con ajo y eneldo fresco y úselo como salsa.

En el medio / bocadillo

Fruta
Pasteles integrales, como pretzel de sésamo, sin el crumble de sal
Batido de verduras verdes.

Dia 2

Mañana: muesli elaborado con copos de avena, algo de linaza, bayas y yogur bajo en grasa, y té de hierbas
Almuerzo:ensalada de pasta con tomates secos y naranjas. Cocinar pasta como farfalle o penne al dente, picar los tomates secos y filetear una naranja. Servir las tiras de tomate y los filetes de naranja con un poco de aceite de oliva, picar el perejil fresco o perifollo y condimentar con él el aderezo, añadir vinagre de fruta fina al gusto, mezclar con la pasta.
Noche: tomates y pepinos con mozzarella, aromatizados con aceite de oliva de alta calidad y albahaca fresca, servidos con pan integral
En el medio / bocadillo
Fruta
Pasteles integrales, como pretzel de sésamo, sin crumble de sal
Batido de color rojo anaranjado.

Día 3

En la mañana: Pan integral con queso crema elaborado con leche de cabra u oveja, sazonado con hierbas frescas al gusto, como cebollino.
Almuerzo: bistec de ave con verduras de pimentón (pimientos rojos, amarillos y verdes, cebolla, un poco de crema agria) y arroz
Por la tarde: migas de manzana. Para hacer esto, pele las manzanas agrias, córtelas en rodajas y colóquelas en una fuente para hornear ligeramente untada con mantequilla. Rocíe con el jugo de un limón. A partir de 100 gramos de harina integral, un puñado de copos de avena, 80 gramos de azúcar morena y la misma cantidad de

mantequilla, una pizca de canela, amasa una mezcla desmenuzable y espolvorea alrededor de las manzanas, hornea en el horno a 200 grados.

En el medio / bocadillo

Fruta

Pasteles integrales, como pretzel de sésamo, sin crumble de sal

Batido de verduras verdes.

Día 4

Mañana: muesli y bayas o manzanas de temporada, copos de trigo sarraceno, leche de avena

Mediodía: Ensalada de pan italiano. Para ello, cortar la ciabatta en rodajas, dividir en dados del tamaño de un bocado, frotar con un diente de ajo cortado y humedecer un poco de aceite de oliva, tostar brevemente en una bandeja para hornear en el horno, picar los tomates, el pepino y la cebolla para el ensalada y colocar en un tazón grande. Prepare la vinagreta de aceite de oliva, vinagre balsámico y muchas hierbas frescas al gusto, mezcle con las verduras. Deje que el pan se enfríe brevemente, dóblelo en la ensalada y disfrute.

Por la tarde:sopa de verduras (minestrone). Prepare caldo de verduras a partir de verduras al gusto - frijoles, calabacín, zanahorias, hinojo, apio - primero saltee las verduras en aceite de oliva, luego rellénelo con un poco de agua. Sazone con laurel, albahaca y una pizca de sal (no más). Justo antes de cocinar, agregue un puñado de fideos para sopa.

En el medio / bocadillo

Fruta

Pasteles integrales, como pretzel de sésamo, sin crumble de sal

Bayas rojas, ásperas y de temporada y batidos de plátano, agua

Zumo de limón recién exprimido, diluido con agua del grifo.

Dia 5.

En la mañana: huevos revueltos de dos huevos, verter sobre un tomate cortado en cubitos, sazonar con hierbas frescas, con pan integral

Almuerzo:risotto con achicoria. Para ello, sofreír el arroz risotto en aceite de oliva, añadir una cebolla finamente picada y un diente de ajo, sofreír brevemente, verter un poco de caldo de verduras y cocinar a fuego lento. En otra sartén, sofreír la achicoria en rodajas en aceite de oliva, agregar un poco de sal, agregar un chorrito de crema de avena y agregar esta mezcla de verduras al risotto, doblar un poco. Condimente con romero fresco.

Noche: Guiso de verduras al horno. Para ello, ponga las verduras finamente picadas de su elección en una cazuela refractaria con tapa, como frijoles, calabaza, tomates, calabacines, pimientos, cebollas, colinabo. Agrega una taza de agua, sazona con un poco de sal pero muchas hierbas, si quieres, un poco de chile, tapa y cocina a 180 grados durante unos 30 minutos. Luego vierte las hojuelas de ricotta sobre la cazuela y disfruta con la baguette integral.

En el medio / bocadillo

Fruta

Pasteles integrales, como pretzel de sésamo, sin crumble de sal

Malteada verde.

Día 6

En la mañana: Muesli elaborado con mijo, fruta de temporada y leche de arroz

Mediodía: Pasta de salmón con limón y calabacín. Sofreír el salmón y el calabacín en un poco de aceite de oliva, agregar un poco de crema agria, sazonar con jugo de limón y un poco de sal. Hervir la pasta y mezclar ambos, moler el pimiento por encima.

Por la tarde: sofreír las berenjenas fritas, las rodajas de berenjena y las rodajas de cebolla en un poco de aceite de oliva, aromatizar con limón, añadir tomates cherry y alcaparras al gusto. El arroz o las baguettes integrales van bien con él.

En el medio / bocadillo

Fruta

Pasteles integrales, como pretzel de sésamo, sin crumble de sal

Batido de verduras verdes, por ejemplo, lechuga, manzana y agua con lechuga romana

Zumo de limón recién exprimido, diluido con agua del grifo.

Día 7

En la mañana: pan integral con queso crema de hierbas

Almuerzo:Ñoquis de tomate. Hacer ñoquis con 500 gramos de harina, hervir patatas, colar o triturar, amasar con 125 gramos de harina y huevo, sazonar con una pizca de sal y nuez moscada. Forme la masa de papa en rollos, corte rodajas pequeñas, presione un tenedor en cada pieza, póngala en agua hirviendo. Cuando los ñoquis flotan, están listos. Simplemente rocíe con mantequilla líquida y condimente con salvia fresca o sirva con una simple salsa de tomate (tomates frescos, cebolla, ajo, pizca de sal, cucharadita de miel). Los ñoquis son excelentes para congelar, así que simplemente dupliquelos y guárdelos en el congelador.

Por la tarde: espárragos con vinagreta verde, espárragos verdes o blancos pelados, hervir, escurrir, preparar vinagreta con aceite de oliva, vinagre balsámico y hierbas frescas al gusto. Con baguette integral.

En el medio / bocadillo

Fruta

Pasteles integrales, como pretzel de sésamo, sin crumble de sal

Batido rojo, Con remolacha (cocida), manzana, agua
Zumo de limón recién exprimido, diluido con agua del grifo.

CAPÍTULO TRES
Recetas de dieta renal

Crema de frijoles rojos

ingredientes
- 200 g de frijoles rojos (enlatados)
- 1/2 diente (s) de ajo
- 1/2 pieza Chiles
- Sal pimienta

preparación
1. Para la crema de frijoles rojos, escurra los frijoles y recoja el líquido.
2. Presione el diente de ajo y pique finamente la guindilla.
3. Haga puré el bohen, posiblemente agregando algo del líquido recolectado. Mezcle el ajo y la guindilla al gusto y sazone la crema de frijoles rojos con sal y pimienta.

ingredientes

- 2 cebollas
- 1 pimiento morrón
- 4 salchichas (Frankfurter o Debreziner)
- Aceite vegetal
- Pimentón en polvo (dulce noble)
- 1 cucharada de pasta de tomate
- Mejorana (fresca o seca)
- Alcaravea (tierra)
- 500 ml de sopa
- 250 g de frijoles (blancos, enlatados)
- 250 g de frijoles rojos (enlatados)
- 250 g de crema agria
- sal
- Pimienta (del molino)

preparación

1. Primero pela y pica finamente las cebollas. Descorazona el pimentón y córtalo en cubos. Corta las salchichas en rodajas.
2. Calentar el aceite en una cacerola y rehogar las cebollas hasta que estén transparentes. Agrega los pimientos y las salchichas. Espolvoree con pimentón en polvo. Luego agregue la pasta de tomate, la mejorana y las semillas de alcaravea.

171

3. Agrega la sopa. Agregue los frijoles y cocine a fuego lento durante unos 15 minutos.
4. Agregue la crema agria y sazone el gulash de frijoles con sal y pimienta.

Guiso de invierno

ingredientes
- 1000 g ahumado (listo para cocinar)
- 1 cebolla
- 3 pimientos
- 2 barra (s) de puerro (cortado en anillos finos)
- 5 zanahorias (limpias y cortadas en trozos pequeños)
- 1 tubérculo (s) de hinojo (limpios y cortados en cubos pequeños)
- 50 g de judías verdes (limpias y cortadas)
- 1/2 diente de ajo (finamente picado)
- 400 g de tomates (cortados en cubitos)
- 2 cucharadas de Paradeismark
- 200 g de granos de maíz (de la lata)
- 400 g de frijoles rojos
- 120 g de copos de avena
- 1000 ml de sopa de verduras
- sal

- pimienta
- petróleo

preparación

1. Pelar las cebollas y cortarlas en trozos finos. Cortar por la mitad y quitar el corazón de los pimientos y cortarlos en cubos pequeños con las verduras restantes.
2. Calentar el aceite en una cacerola grande, sofreír el pimentón cortado en cubitos y la cebolla. Agregue las verduras restantes, el ajo y la pulpa de tomate y ase también.
3. Finalmente, agregue los tomates, los granos de maíz bien escurridos y los frijoles. Esparcir los copos de avena encima y verter la sopa encima.
4. Revuelva bien y deje que el guiso hierva a fuego lento un poco.
5. Corta la carne ahumada en trozos pequeños, agrega y cocina a fuego lento hasta que esté tibia.
6. Condimentar al gusto con sal y pimienta y llevar nuevamente a ebullición el guiso.

Chili con carne con carne picada

ingredientes

- 125 g de ternera picada
- 125 g de carne picada (de cerdo)
- 3 cucharadas de pasta de tomate
- 2 cucharadas de mostaza

- 250 ml de sopa de ternera
- 500 ml de tomates (colados)
- 1 lata (s) de maíz
- 5 tomates (medianos, escaldados y en rodajas; o enlatados)
- 1 lata (s) de frijoles (blancos)
- 1 lata (s) de frijoles rojos
- 2 pimientos (en rodajas)
- sal
- pimienta
- orégano
- 1 cucharadita de comino (comino)
- 1 vaina (s) de chile (pequeño)

preparación

1. Primero mezcle la carne picada.
2. Deje que se caliente una sartén grande y profunda, vierta el aceite de oliva y fría la carne picada en ella hasta que esté agradable y desmenuzable.
3. Ahora tuesta brevemente la pasta de tomate y la mostaza, agrega la sopa y deja que hierva todo.
4. Agregue el maíz, los tomates, los pimientos morrones y los frijoles y cocine a fuego lento hasta que los pimientos estén suaves.
5. Antes de servir, sazone el chili con carne con el chili y las especias restantes al gusto.

ingredientes

- 2 cucharadas de aceite de oliva
- 1 cebolla (finamente picada)
- 3 diente (s) de ajo (finamente picado)
- 250 g de ternera picada (magra)
- sal
- 2 cucharadas de salsa de soja
- 1 cucharadita de pimentón en polvo (dulce noble)
- 1 cucharadita de orégano
- 1 cucharadita de cilantro (molido)
- 1/2 cucharadita de comino (molido)
- 1 vaina (s) de chile
- 1 lata (s) de tomates (pequeños, cortados en cubitos)
- 600 ml de sopa de verduras
- 1 lata (s) de frijoles rojos (grandes, escurridos)

preparación

1. Para el aceite de chili con carne, caliéntelo en una cacerola rebozada. Cocine al vapor las cebollas hasta que estén blandas, luego fría hasta que estén doradas mientras revuelve.

2. Mezclar el ajo y la carne picada, un poco de sal, sofreír brevemente mientras revuelve. Agrega la salsa de soja, el pimentón en polvo, el orégano, el cilantro, el comino y la guindilla, sofríe brevemente sin dejar de remover.
3. Mezcle los tomates y cocine a fuego lento durante unos 8 minutos. Agregue la sopa de verduras, deje hervir y cocine a fuego lento durante 6 minutos. Agrega los frijoles y mezcla todo bien. Cocine a fuego lento el chili con carne ligero durante otros 6 minutos, agregue un poco de sopa de verduras si es necesario. Sazone al gusto con sal y chile.

Ragú de ternera con frijoles

ingredientes
- 250 g de filete de ternera
- 3 piezas. Cebollas
- 1 cucharadita de aceite de colza
- 1 cucharada de pasta de tomate
- 1 cucharadita de pimentón en polvo
- 300 ml de caldo de verduras
- Chile, sal, pimienta
- 1 zanahoria
- 50 g de pimentón (rojo)
- 50 g de maíz vegetal (lata)
- 200 g de frijoles (lata)

preparación

1. Para el ragú de ternera con frijoles, corte el filete de ternera en trozos grandes.
2. Pica finamente las cebollas peladas.
3. Freír la carne en el aceite caliente por ambos lados, agregar la cebolla y asar.
4. Agregue la pasta de tomate y el pimentón y vierta el caldo de verduras, sazone y cocine a fuego lento tapado durante unos 20 minutos.
5. Cortar la zanahoria en rodajas, la pimienta en cubos.
6. Agrega a la carne junto con el elote y los frijoles escurridos y cocina a fuego lento durante otros 10 minutos.

Hígado de novilla y su compota de cebolla

Ingrediente

- 1 rebanada de hígado de ternera orgánico
- 2 cebollas pequeñas
- 1 manzana Canadá
- cucharada de aceite de oliva
- 1 limón
- 1 rodaja de canela
- Sal pimienta

Preparación

1. Pelar y cortar las cebollas en rodajas. Hacerlos volver a la mitad del aceite de oliva hasta que se vuelvan traslúcidos.

Salpimentarlos. Tape y cocine a fuego muy lento durante 30 minutos. Esté atento a la cocción, agregue un poco de agua si es necesario.

2. Lave el limón con agua corriente, límpielo y exprímalo.
3. Lavar la manzana, pelarla y quitarle el núcleo fibroso y las semillas. Córtalo en cubos. Limón para evitar que se ennegrezca. Colocar en una cacerola pequeña con canela y 2 cucharadas de agua. Cocine tapado a fuego lento durante 20 minutos. Al final de la cocción, tritúrelo en la compota gruesa.
4. Cortar el hígado en tiras y cocinar de 2 a 3 minutos en la sartén con el aceite de oliva restante. Una vez cocido, mézclalo con la compota de cebolla.
5. Disfrútalo de inmediato, acompañado de la compota de manzana.

Paleta de cerdo y sus verduras

Ingredientes

- 1 paleta de cerdo con hueso de 1 kilo
- 100 g de tocino ahumado cortado en cubitos
- 1/4 repollo verde
- 300 g de zanahorias
- 200 g de nabos
- 400 g de patatas de carne firme tipo BF 15
- 2 cebollas

- 2 dientes
- 1 ramo de garni
- 1 tableta de caldo de verduras orgánico
- Sal pimienta

Direcciones

1. Coloque el tocino en una sartén y saltee a fuego medio, revolviendo. Agrega la paleta y usa la grasa extraída para dorar la carne, aproximadamente 5 minutos por cada lado. Agrega una cebolla pelada y picada, también dora. Agrega 1/2 litro de agua, el bouquet garni, y la segunda cebolla pegada los clavos y el caldo desmenuzado.

2. Lave el trozo de repollo, retire las hojas exteriores con demasiada fuerza y su corazón. Sumérjalo en una olla con agua hirviendo con sal y déjelo blanquear durante 10 minutos. Escúrrelo y córtalo en tiras. Agréguelo a la sartén con la paleta, sal y pimienta, continúe cocinando por 15 minutos.

3. Lave y pele las zanahorias, los nabos y las patatas. Córtelos en rodajas. Agregue las zanahorias y los nabos en la sartén, sal y pimienta. Continúe cocinando durante 10 minutos. Agrega las papas y termina de cocinar por 20 minutos. Rectificar el condimento, quitar el bouquet garni y el clavo de piqué de cebolla.

Ensalada de frijoles con cáscara

Ingredientes

- 150 g de judías descascaradas
- 30 g de pasta tipo farfalle
- 150 g de judías verdes frescas
- 200 g de tomates
- 1 zanahoria
- 1 ramo de garni
- 4 cucharadas de aceite de oliva
- 2 cucharadas de vinagre balsámico
- 1/2 cucharadita de mostaza
- 1 chalota
- 2 cucharaditas de perejil picado
- 1 cucharadita de albahaca picada
- Sal pimienta

Direcciones

1. Pele los frijoles. Colócalos en una cacerola grande y cúbrelos completamente con agua fría. Agregue el bouquet garni, cubra la sartén. Déjelo hervir a fuego lento durante 35 minutos.
2. Lave las judías verdes y séquelas. Corte por la mitad, sal y cocine al vapor durante 15 minutos.
3. Cuece la pasta el tiempo indicado en el paquete.
4. Pelar y picar la chalota.
5. Prepara la vinagreta con aceite, vinagre, mostaza, sal y pimienta. Agrega la chalota.
6. Lave los tomates y la zanahoria con agua corriente. Quitar la piel y rallar la zanahoria, cortar los tomates en gajos.
7. En una ensaladera, combine los frijoles descascarados y la pasta escurrida, las judías verdes, los tomates, la zanahoria y las hierbas. Agrega la vinagreta y mezcla suavemente. Corrija el condimento si es necesario.

Tartaletas de frambuesa sin gluten

Ingredientes

- 100 g de harina de arroz
- 30 g de polvo de almendra
- 30 g de mantequilla o margarina rica en omega 3 sin aclarar
- 90 g de azúcar
- 2 huevos
- 20 g de aciano
- 25 cl de leche semidesnatada
- 1 vaina de vainilla
- 500 g de frambuesas
- 1 cucharada de azúcar glas

Direcciones

1. Calentar la leche hasta que hierva. Corta el fuego. Partir la vaina de vainilla por la mitad y dejar reposar en la leche.
2. Mezclar la harina de arroz con la almendra en polvo y 60 g de azúcar. Agrega la mantequilla derretida y trabaja la masa con un tenedor hasta obtener una textura arenosa. Combina la masa con 1 huevo batido y refrigera por al menos 30 minutos.
3. Separe la clara y la amarilla del huevo restante. Batir la yema con 30 g de azúcar. Agrega el aciano, luego la leche, previamente filtrada, muy gradualmente. Cocine esta crema a fuego lento, revolviendo constantemente hasta que espese (aproximadamente 3 minutos).

4. Precalienta el horno a 180 ° C. Extiende la masa del pastel y divídela en cuatro moldes para tarta ligeramente engrasados. Cubra cada tarta con papel pergamino y verduras secas. Cocine las tartas durante 25 minutos.
5. Lava las frambuesas bajo un chorro de agua corriente. Pase una esponja con cuidado y quíteles los pedúnculos.
6. Espera a que las tartaletas estén frías para decorar con crema pastelera y frambuesas. Espolvorea con azúcar glas.

Quiche con pisto

Ingredientes
- 250g de harina
- 125 g de mantequilla o margarina rica en omega 3 sin aclarar
- 2 calabacines
- 1 berenjena
- 3 tomates
- 1 pimiento amarillo
- 1 cebolla
- 2 cucharadas de aceite de oliva
- 1 ramo de garni
- 4 huevos
- 100 g de queso Emmental rallado
- Sal pimienta

Direcciones

1. En una ensaladera pequeña, mezcle la harina y la mantequilla hasta obtener una textura de arena. Agrega un poco de agua salada para combinar la bola de masa. Deje reposar en el frigorífico durante al menos 30 minutos.
2. Pelar y cortar la cebolla en rodajas. Lava las verduras. Pelar el calabacín y cortarlo en rodajas. Corta la berenjena en cubos. Retirar el pedúnculo, las semillas y las partes fibrosas blanquecinas del pimiento, cortar en tiras.
3. Sofreír la cebolla con el aceite de oliva en una sartén. Agregue la pimienta, el calabacín y la berenjena, dore mientras revuelve. Agrega los tomates, el bouquet garni, la sal y la pimienta. Cubrir; cocine a fuego lento durante 20-30 minutos. Al final de la cocción, descubra dejar evaporar el agua de constitución de las verduras.
4. Precaliente el horno a 200-210 ° C. Extienda la masa y colóquela en un molde para pastel. Cubra con papel pergamino y vegetales secos - Cocine por 20 minutos.
5. Mezclar el pisto bien reducido con los huevos y el queso emmental. Vierta esta mezcla sobre la base de la tarta, libre de papel pergamino. Termina de cocinar en el horno durante 15 minutos.

Yogures caseros con olla a presión

Ingredientes

- 90cl de leche UHT semidesnatada
- 1 frasco de yogur natural con leche entera comercial
- 4 cucharadas de leche desnatada en polvo
- 1 naranja orgánica
- 1 termómetro de cocina

Direcciones

1. Lavar la naranja con agua corriente, pasar una esponja con papel absorbente y recuperar su ralladura.
2. Coloque la leche y la ralladura de naranja en una cacerola, caliente hasta que hierva. Luego, apaga el fuego y deja que la ralladura se infunda hasta que la temperatura de la leche baje a 45 ° C (consultar con el termómetro).
3. Durante este tiempo, llene la olla a presión con agua por un tercio. Cierra la tapa y ponla al fuego. Dejar varios minutos a presión. Luego, corta el fuego y deja escapar el vapor.
4. Tamizar la leche por el colador para quitar la ralladura de naranja. Bátelo con el yogur y la leche en polvo. Dividir en 8 frascos de yogur de vidrio.
5. Deseche el agua hirviendo de la olla a presión. Coloque las ollas en la canasta de la cacerola e introdúzcalas inmediatamente en la cacerola aún muy caliente. Deje fermentar a temperatura ambiente durante 4-5 horas. Luego coloque el yogur en el refrigerador.

Pera y nuez

Ingredientes

- 1 hermosa pera
- 80 g de mantequilla
- 1/2 cucharadita de extracto de vainilla
- 2 huevos
- 100 g de azúcar
- 50 g de harina de castaña
- 50 g de harina de trigo tipo 55
- 1/2 sobre de levadura
- 80 g de cacao en polvo sin azúcar
- 14 nueces
- 2 cucharaditas de azúcar glas

Direcciones

1. Precalentar el horno a 180 - 200 ° C. Engrasar ligeramente un molde antiadherente con un cepillo engrasado.
2. Lavar la pera, pelarla, quitarle su parte central y sus pepitas, cortarla en cuartos grandes. Ponlo en la sartén con 20 g de mantequilla y vainilla. Retirar del fuego en cuanto empiece a caramelizar. Colócalo en el fondo del molde.
3. Nueces de Schell.
4. Separa las claras de las yemas. Batir las claras con una pizca de sal.

5. Mezclar las yemas de huevo con el azúcar. Agrega los 60 g restantes de mantequilla. Agrega poco a poco las dos harinas con la levadura, luego el cacao en polvo y finalmente 12 nueces. Incorpora con cuidado las claras a la nieve.
6. Verter la mezcla en el sartén sobre la pera y hornear durante 25 minutos a 180 ° C.Controlar la cocción con la punta de un cuchillo (la masa no se pega cuando el bizcocho está cocido).
7. Desmontar la libra. Espolvorear con azúcar glass y decorar con las 2 nueces restantes.

Mousse de coco y piña

Ingredientes
- 3 huevos
- 37,5 cl de leche de coco
- 60 g de azúcar
- 1/4 a 1/3 de piña (200 g netos)
- 5 medias hojas de gelatina
- 1 pizca de sal

Direcciones
1. Separar las yemas y las claras.
2. Remoja la gelatina en un recipiente con agua fría.

3. Batir las yemas con el azúcar. Agrega poco a poco la leche de coco. Ponga todo en una cacerola y cocine a fuego lento, revolviendo constantemente hasta que la nata quede a la mesa.
4. Escurre la gelatina con cuidado y agrégala a la crema de coco. Batir, y tan pronto como se disuelva la gelatina, retirar la sartén del fuego. Deje enfriar durante 1 hora en el frigorífico.
5. Pelar la piña: quitarle la piel. Es la parte central dura y sus "ojos". Asegúrate de tener 200 g de carne que cortas en cubos pequeños.
6. Añadir una pizca de sal a las claras y batir con firmeza la nieve. Mézclalos suavemente con la crema de coco. Agrega los dados de piña. Dividir la mousse en 4 moldes y meter al menos 2 horas en el frigorífico antes de comer.

Pan de merlán con sésamo

Ingrediente

- 400 g de filetes de merlán
- 4 cucharadas de aceite de sésamo
- 1 limón
- 1 cucharada de salsa de soja
- 1 diente de ajo
- 2 cucharadas de limoncillo picado
- 1 trozo pequeño de jengibre de 1 cm
- 4 cucharadas de ajonjolí

- 2 huevos
- Sal pimienta

Direcciones

1. Lave el limón con agua corriente, páselo con una esponja, exprímalo. Pelar y cortar el diente de ajo en rodajas. Pasar el jengibre por debajo del agua, esponjarlo, rallarlo.
2. Prepara una marinada con 2 cucharadas de aceite de sésamo, jugo de limón, salsa de soja, limoncillo, ajo, jengibre y un poco de pimienta. Coloca los filetes de merlán en la marinada y resérvalos en el frigorífico durante 2 horas.
3. Luego, escurre con mucho cuidado los filetes de pescado. Cocínelos durante 5 minutos, al vapor.
4. Separar las claras de las yemas. Unte cada filete de pescadilla en la yema de huevo y luego en las semillas de sésamo para formar una miga de pan. Sal un poco. Pasar rápidamente los filetes de pescado empanizados en una sartén antiadherente con las 2 cucharadas de aceite restantes. Tan pronto como las semillas de sésamo estén doradas, deje de cocinar. Disfrútalo de inmediato.

Tortilla a la mexicana

Ingredientes

- 400 g de patatas (cerosas)
- 6 huevos
- 1 pimiento (rojo)
- 120 g de maíz dulce (cocido)
- 100 g de frijoles (cocidos)
- 1 vaina (s) de chile (rojo)
- sal
- pimienta
- Aceite de oliva (virgen extra)

preparación

1. Para la tortilla mexicana, pelar las papas, cortarlas en rodajas finas y freírlas en aceite de oliva. Poner a un lado.
2. Cortar los pimientos rojos en dados pequeños y sofreírlos en aceite de oliva. Batir los huevos, agregar las rodajas de papa frita, el pimentón, el maíz y los frijoles. Descorazona y pica finamente la guindilla. Sazone la mezcla de tortilla con chile, sal y pimienta.
3. Caliente el aceite de oliva en una sartén pequeña y vierta la mitad de la mezcla. Freír durante unos 5 minutos a fuego medio. Luego cubra con un plato y voltee la sartén para que la tortilla caiga en el plato con el lado frito hacia arriba.
4. Desliza el lado sin asar hacia abajo en la sartén nuevamente y hornéalo hasta que esté dorado. La mezcla debe hacer 2 tortillas de grosor medio.
5. Retirar de la sartén y dejar enfriar un poco. La tortilla estilo mexicano luego se corta en cuartos u octavos y se sirve.

Ensalada de arenque

ingredientes

- 1 vaso de rusos
- 1 lata (s) de frijoles rojos (400 g)
- 300 g de patatas (cerosas)
- 2 manzanas (medianas)
- 4 cucharadas de aceite
- 250 ml de crema agria
- 3 cucharadas de mayonesa
- 3-4 piezas de encurtidos
- sal
- pimienta

Preparación

1. Para la ensalada de arenque, cuele los rusos, enjuague con agua fría y corte en trozos. Coloca los aros de cebolla en escabeche a un lado.
2. Hervir las patatas, pelarlas y cortarlas en trozos pequeños. Colar los frijoles, enjuagarlos brevemente con agua fría y dejarlos escurrir.
3. Pelar las manzanas y cortarlas en trozos pequeños. También corta el pepino en trozos pequeños. Mezclar bien los rusos, las patatas, las manzanas, los frijoles y el pepino.

4. Agrega los aros de cebolla. Mezclar la crema agria con mayonesa y aceite, sazonar con sal y pimienta y mezclar bien con el resto de ingredientes.
5. Deje remojar la ensalada de arenques en el refrigerador durante 2 horas.

Estofado de camote

Ingredientes
- 200 g de cebolla
- Aceite de oliva (para asar)
- 2 dedos de ajo
- 20 g de pimentón en polvo (15 g de dulce noble + 5 g de picante)
- 1 chorrito de vinagre de manzana
- 3/4 l de sopa de verduras
- 400 g de boniato
- 400 g de patatas
- 1/2 cucharadita de semillas de alcaravea (molidas)
- 1-2 hojas de laurel
- 1 cucharada de mejorana (finamente triturada)
- 326 g de frijoles rojos (enlatados)

Preparación
1. Para el gulash de camote, pique finamente la cebolla y el ajo. Rallar finamente una patata, cortar en dados las otras patatas y las batatas.

2. Asar las cebollas en aceite de oliva hasta que estén ligeramente doradas, tostar brevemente el ajo y los dos polvos de pimentón, desglasar con un chorrito de vinagre de manzana y verter encima la sopa de verduras.
3. Agregue los camotes, las papas y las especias y deje hervir a fuego lento durante 15 minutos. Agrega los frijoles y vuelve a hervir.
4. Sazonar con sal y servir. Si lo desea, puede comer pan con gulash de camote.

Chile vegetariano

ingredientes
- 1 pieza de cebolla
- 1 diente (s) de ajo
- algo de aceite
- 4 tomates
- 1 PC. Pimentón (rojo)
- 1 rama (s) de apio
- 4 cucharadas de frijoles rojos
- 1 cucharada de chile
- 50 g de maíz
- Carvi
- sal
- Pimienta (del molino)
- 1 cucharada de cilantro

- 1 cucharadita de canela

preparación

1. Para una guindilla vegetariana, pele y corte la cebolla. Pelar y presionar los ajos. Calentar el aceite en una cacerola y sofreír la cebolla y el ajo.
2. Cortar en dados los tomates, el apio y los pimientos y agregar junto con los frijoles, la guindilla y el maíz. Condimente con semillas de alcaravea, sal, pimienta, cilantro y canela.
3. Deje hervir a fuego lento durante 40 minutos, revolviendo ocasionalmente. Sirva el chile vegetariano con pan fresco.

CAPÍTULO CUATRO
Recetas de desayuno

Mermelada de papaya y arándano

Ingredientes

- La pulpa de una papaya madura 700 gramos
- Jugo de limón 4 cucharadas
- Arándanos / Arándanos 100 gramos
- Conservación de azúcar 1: 1 1000 gramos

preparación

1. Con agua caliente, lave las papayas, frótelas para secarlas y pélelas. Luego córtalo por la mitad con una cucharadita y raspa las semillas. Con el jugo de limón, trituramos la pulpa. Los arándanos se lavan y se clasifican, se ponen en una cacerola grande y se trituran ligeramente con un tenedor. Agregue el puré de papaya y 1: 1 del azúcar gelificante y mezcle bien.

2. Mientras revuelve, lleve a ebullición a fuego alto hasta que toda la comida burbujee vigorosamente. ¡Ahora comienza el momento de cocinar! Deje hervir a fuego lento durante 4 minutos, revolviendo constantemente.

3. Retire la olla de la estufa. Llenar la masa caliente rápidamente con frascos enjuagados con agua caliente hasta el borde y cerrar inmediatamente con el tapón de rosca.

Bircher muesli con papaya

Ingredientes:

- 80 g de copos de avena crujientes
- 1 cucharada de pasas
- ¼ l (1,5% de grasa) de leche
- alternativamente: ¼ l de agua
- 1 papaya pequeña (aprox.300 g)
- 1 manzana
- 150 g (1,5% de grasa) de yogur natural
- 2 cucharaditas de jugo de limón
- 1 cucharada de nueces pecanas
- 1 cucharada de chips de manzana secos

Preparación

1. Mezclar los copos de avena y las pasas en un bol con la leche (en el caso de cálculos renales, con agua) el día anterior y dejar reposar en el frigorífico unas 12 horas, preferiblemente durante la noche.

2. Al día siguiente, cortar la papaya por la mitad, quitar el corazón, pelar y cortar la pulpa en cubos de 1-2 cm. Lave la manzana y ralle finamente alrededor del corazón en un rallador de verduras. Agrega la manzana rallada y la mitad de los cubos de papaya con el yogur a la mezcla de avena. Finalmente, agregue el jugo de limón al gusto.

3. Extienda la mezcla de muesli en tazones. Pica las nueces en trozos grandes (omitir si hay cálculos renales) y espolvorear con el resto de la papaya. Sirve adornado con los chips de manzana.

Sartén de arroz mexicano

ingredientes
- 1 taza (s) de arroz
- 200 g de champiñones
- 1 cebolla (finamente picada)
- 1 lata (s) de frijoles rojos (relleno de 200 g, escurridos)
- 1 lata (s) de maíz (escurrido)
- 1 pimiento rojo
- 2 cucharadas de pasta de tomate (doblemente concentrada)
- 1/2 cucharadita de pimentón en polvo (dulce noble)
- 500 ml de sopa de verduras
- algo de sal
- algo de aceite
- un poco de Tabasco (al gusto)

preparación
1. Para la sartén de arroz a la mexicana, sofría la cebolla en aceite en una cacerola. Retire los pimientos del corazón y córtelos en trozos pequeños. También corta los champiñones en trozos pequeños y agrega los dos ingredientes a la cacerola y también sofríe un poco.

2. Añadir el arroz (crudo), el pimentón en polvo y la pasta de tomate y asar un poco. Desglasar todo con la sopa y llevar a ebullición.
3. Cubra todo y cocine durante unos 20 minutos, hasta que el líquido hierva y el arroz esté bien cocido. Justo antes del final del tiempo de cocción, mezcle los frijoles y el arroz. Revuelva de vez en cuando para que el arroz no se pegue al fondo. El plato de arroz mexicano y sazone con Tabasco.

Ensalada de pasta con frijoles

ingredientes
- 500 g de pasta (a tu elección)
- 4 cucharadas de mayonesa para ensalada
- 200 g de yogur (natural)
- 400 g de frijoles rojos (enlatados)
- 1 cebolla (mediana)
- 4 dientes de ajo
- sal
- Pimienta (molida)

preparación
1. Para la ensalada de pasta de frijoles, cuece la pasta en agua con sal con un chorrito de aceite hasta que esté blanda, enjuaga con agua fría y deja enfriar.
2. Corta la cebolla en aros pequeños y agrégala a la pasta.

3. Vierta los frijoles enlatados en un colador, lávelos con agua limpia y agréguelos a los fideos.
4. Mezclar la mayonesa con el yogur para la salsa. Presione los dientes de ajo y agregue. Sazone con sal y pimienta y revuelva todo bien. Marinar la pasta con la salsa y dejar reposar la ensalada de fideos con frijoles.

Filete mexicano con vegetales de frijoles

ingredientes
- 1 lata (s) de frijoles (blancos)
- 1 lata (s) de frijoles rojos
- 1 lata (s) de Kukuruz (peso escurrido 125 g)
- 3 cebolletas
- 3 filetes de cerdo (pequeños, 150 g cada uno)
- 3 cucharadas de aceite de maíz
- 1 paquete de sopa de tomate (polvo)
- pimienta de cayena

preparación
1. Escurrir las judías blancas y los frijoles con el kukuruz en un colador. Limpiar las cebolletas enjuagar y cortar en tiras.
2. Ase los filetes en aceite de maíz caliente en 2 o 9-10 fogones automáticos durante 2 minutos por cada lado hasta que estén dorados.
3. Sacar y mantener caliente.
4. Poner las cebolletas y los pimientos en el resto de la grasa de freír y sofreír durante 3 minutos en 2 u 8-9 fogones

automáticos, rellenar con 400 ml de agua y dejar hervir. Mezcle el polvo de sopa y revuelva durante aproximadamente 1 minuto en la placa de cocción automática de 1 1/2 o 5-6. Agrega los frijoles y el kukuruz y calienta. Sazone el plato con pimienta de cayena. Lleva las verduras mexicanas a la mesa con los filetes.

Ensalada de brócoli y lentejas con caballa

Ingredientes:
- 300 g de brócoli
- 1 cebolla pequeña
- 4 cucharadas de jugo de naranja
- 2 cucharadas de vinagre de vino blanco
- 2 cucharadas de aceite de oliva
- sal

del molino: pimienta
- 1 cucharadita (del frasco) de rábano picante rallado
- 1 lata (240 g peso escurrido) de lentejas
- 125 g de tomates de cóctel
- 4 tallos de albahaca
- 2 filetes de caballa ahumada (aprox.150 g, con piel)

preparación
1. Lavar y cortar el brócoli en floretes, pelar los tallos y cortar en cubos pequeños. Pelar la cebolla y cortarla en cubos finos.

2. En una cacerola pequeña, hierva los cubos de cebolla con el jugo de naranja, el vinagre y el aceite de oliva. Agregue el brócoli y cocine tapado a fuego medio durante unos 3 minutos. Retirar del fuego y sazonar con sal, pimienta y rábano picante.

3. Enjuague las lentejas en un colador y déjelas escurrir bien. Lava y corta los tomates por la mitad. Mezcle suavemente las lentejas y los tomates con el brócoli.

4. Lavar la albahaca, secarla y arrancar las hojas. Pelar los filetes de caballa y cortarlos en trozos pequeños. Cubrir la ensalada con los trozos de caballa, espolvorear con albahaca y sazonar con pimienta.

Arroz con brócoli gratinado all'italiana

Ingredientes:
- 125 g (10 minutos) de arroz integral
- sal
- 300 g de floretes de brócoli
- 200 g de tomates colados (enlatados)

- sal
- del molino: pimienta
- 1 cucharadita de hierba italiana seca
- 1 cucharadita de pimentón en polvo (variedad noble dulce)
- 100 g de tomates de cóctel
- 125 g (8,5% de grasa) bolitas de mozzarella pequeñas
- 2 cucharadas de piñones
- algunas hojas de albahaca

Preparación

1. De acuerdo con las instrucciones del paquete, cocine el arroz con abundante agua con sal. Mientras tanto, limpie los floretes de brócoli, lávelos y córtelos en trozos más pequeños. Agregue el brócoli al arroz unos 5 minutos antes de que finalice el tiempo de cocción, vuelva a hervir todo y cocine simultáneamente el brócoli.

2. Precalentar el horno a 220 ° C. Engrasar una fuente de horno (20 x 30 cm aprox.) Con aceite. Escurrir en un colador con el arroz y el brócoli y escurrir. Use sal, pimienta, hierbas italianas y pimentón en polvo para condimentar los tomates. Mezclar y disolver en la fuente de horno con la mezcla de arroz con brócoli.

3. Lavar y cortar los tomates cherry por la mitad. También corta a la mitad las bolas de mozzarella. Combinar los tomates y la mozzarella, espolvorear con los piñones y esparcir la mezcla de brócoli y arroz. En la rejilla del medio, hornee el gratinado en el horno durante unos 10 minutos. Para servir, espolvorear con las hojas de albahaca.

Ensalada de frijoles de colores

Ingredientes:

- 200 g de judías verdes
- 1 cebolla
- 1 pimiento morrón
- 1 lata pequeña (peso escurrido 250 g) de judías blancas
- 1 lata pequeña (peso escurrido 250 g) de frijoles rojos
- 2 cucharadas de vinagre de vino
- 2 cucharadas de crema agria
- 1/2 cucharadita de mostaza
- 1/2 cucharadita de salsa de tomate
- 1/2 cucharadita de rábano picante
- sal
- pimienta
- 1 cucharada de aceite
- tomillo picado

Preparación

1. Limpiar y lavar las judías verdes y cocinar en agua hirviendo con sal durante 6-8 minutos hasta que estén firmes al morder. Verter en un colador, enjuagar con agua fría y escurrir bien. Transfiera a un tazón grande.

2. Pelar la cebolla y cortarla en aros finos. Cortar por la mitad y quitar el corazón de los pimientos a lo largo, lavarlos y cortarlos en cubos. Escurrir los frijoles rojos y los frijoles

blancos cada uno en un colador, enjuagar con agua fría y escurrir bien. Luego agregue la cebolla, el pimiento, los frijoles y los frijoles blancos a los ejotes.

3. Para el aderezo, mezcle vinagre, crema agria, mostaza, salsa de tomate, rábano picante, aceite y tomillo, sazone con sal y pimienta. Mezcle con los ingredientes de la ensalada y deje reposar la ensalada de frijoles durante unos 5 minutos antes de servir.

Ensalada de hinojo y naranja

Ingredientes:
- 1 plátano maduro pequeño
- 200 g de nata
- 2 cucharadas de aceite de nuez
- 1-2 cucharaditas (del frasco) de rábano picante
- alternativamente: rábano picante recién rallado
- al gusto: estragón
- sal
- del molino: pimienta negra
- 2 bulbos pequeños de hinojo
- 2 manzanas pequeñas
- 2 naranjas
- un poco de jugo de limón recién exprimido
- 10 mitades de nueces

preparación

1. Tritura el plátano con un tenedor y mézclalo con la crema, el aceite, el rábano picante y posiblemente un poco de estragón para hacer un aderezo para ensaladas. Añadir sal y pimienta al gusto.
2. lavar el hinojo y cortar en tiras muy finas. Lavar las manzanas, quitar el corazón y cortar en dados muy finos (no pelar). Rocíe el hinojo y las manzanas con un poco de jugo de limón recién exprimido y agregue a la salsa.
3. Pelar las naranjas, cortar los filetes individuales y añadirlos a la salsa con las nueces picadas. Mezclar todo y servir frío.

Ensalada de huevo con sabor a fruta

Ingrediente:
- 8 huevos
- 4 cucharadas (4.8% de grasa) de mayonesa
- 6 cucharadas de yogur (1,5% de grasa)
- 2 cucharadas de vinagre de vino blanco
- 2 cucharaditas de curry
- si te gusta: pimienta de cayena

- sal y pimienta
- 2 manzanas ácidas
- 2 cucharadas de perejil fresco
- 1 cebolla morada
- 4 encurtidos
- 2 cucharadas de semillas de girasol

preparación

1. Hervir los huevos durante 8 minutos. Luego enjuague con agua fría y deje enfriar. Mientras tanto, para el aderezo, mezcle la mayonesa en un bol con el yogur, el vinagre, el curry, la pimienta de cayena, la sal y la pimienta si lo desea.
2. Lave las manzanas con cuidado o (si no son orgánicas) pélelas, quíteles el corazón y córtelas en cubos medianos. Lavar y picar finamente el perejil. Pelar la cebolla y cortarla en aros finos. Corta los pepinos encurtidos en dados finos. Pelar los huevos enfriados y cortarlos en cubos.
3. Mezcle la manzana, el perejil, la cebolla, el pepino y los huevos en un tazón grande y agregue el aderezo de mayonesa. Sirve la ensalada de huevo espolvoreada con pipas de girasol. Una rebanada de pan integral sabe bien.

Berenjenas a la plancha con ajo y hierbas

Ingredientes:
- 2 berenjenas

- 1 cucharadita de sal
- ½ taza de aceite de oliva virgen extra
- 3 dientes de ajo rallados
- 2 cucharadas de perejil fresco picado
- 2 cucharadas de orégano fresco
- ½ cucharadita de pimienta negra
- ½ cucharadita extra de sal

Direcciones

1. Cortar las berenjenas en rodajas de 5 mm y salar generosamente cada una de ellas. Deje reposar 15 minutos para que la sal extraiga la humedad y el amargor de la berenjena. Limpia cada rebanada con una toalla de papel para eliminar el exceso de humedad y sal.
2. Precalienta la parrilla a fuego medio.
3. En un plato grande, mezcle el aceite de oliva, el ajo, el perejil, el orégano, la pimienta y la sal. Pasar cada rodaja de berenjena por la mezcla para que quede cubierta de aceite.
4. Ase unos 6 minutos por lado hasta que estén dorados y con marcas de parrilla. Si se secan, cepille con más aceite.
5. Sirva con un chorrito del aceite de hierbas restante.

Ensalada de pollo y peras

Ingredientes
- Escarola, canónigos o berros
- Pollo a la parrilla
- Pera

- Pistachos
- cebolla dulce (aros)
- Pimienta rosa
- Sal rosa
- Aceite de oliva virgen extra 3 cucharadas
- 1 cucharadita de mostaza de Dijon en grano
- 1 cucharadita de miel

Instrucciones

1. Limpia y corta deliciosa escarola o cualquier otra verdura de hoja verde como canónigos, berros a los que le agregas unos trozos de pera cortada en gajos o cuadritos.
2. Agrega los pistachos picados.
3. Puedes utilizar cualquier otro fruto seco que te guste más o que tengas en la despensa: piñones, nueces, almendras.
4. Pelar y picar la cebolla, lo que le da un punto picante siempre.
5. Y si te atreves con la mezcla de vinagreta, una cucharadita de mostaza de Dijon en grano, una cucharadita de miel, aceite de oliva virgen extra, zumo de lima y sal, y pimienta rosa.
6. La pimienta rosa es un ingrediente que le da un toque extraordinario, en mi opinión, y puedes triturar unos y otros los dejas enteros.
7. La llamada pimienta rosa, en realidad, es el grano de un pimentero brasileño. Su sabor es muy peculiar, la mezcla de sabor dulce, cítrico, poco picante, que recuerda al pino.
8. Por último, le agregas el pollo asado que puedes comprar bien empacado o restos de alguna preparación casera.

CAPITULO CINCO
Recetas para el almuerzo

Chili con carne con chocolate

ingredientes
- 2 cebollas
- 4 dientes de ajo
- 2 pimientos (rojos)
- 5 chiles (rojos)
- 1000 g de ternera (paleta)
- 6 latas de tomates (pelados)
- 1 lata (s) de maíz
- 2 latas de frijoles rojos
- 150 g de chocolate (oscuro)
- un poco de mantequilla clarificada
- 3 cucharadas de pasta de tomate
- sal
- Pimienta (del molino)
- 4 hojas de laurel
- 1000 ml de sopa de ternera

preparación

1. Para el chili con carne con chocolate, primero pela y pica finamente la cebolla y el ajo. Lavar los pimientos, quitarles el tallo y las semillas y cortarlos en dados muy finos. Quita el corazón de la guindilla o deja las semillas con ella, según el picante deseado. Retirar el tallo y picar finamente la guindilla. Limpiar y cortar la carne en dados. Corta los tomates de la lata. Escurre el maíz y los frijoles. Ralla el chocolate.

2. En una cacerola lo suficientemente grande, sofreír la cebolla y el ajo en la mantequilla clarificada, agregar la carne. Agrega el pimentón, el chile y la pasta de tomate y sofríe brevemente (no demasiado tiempo, de lo contrario la pasta de tomate quedará amarga). Desglasar con la sopa. Agregue las hierbas y especias y los tomates. Ponga la tapa y cocine a fuego lento durante aproximadamente media hora.

3. Luego agregue el maíz y los frijoles. Agregue el chocolate y déjelo hervir a fuego lento brevemente. Es mejor dejar el chili con carne con chocolate en remojo antes de servir.

Pollito al curry (pollo tailandés)

Ingredientes
- 2 pechugas de pollo deshuesadas y sin piel (no demasiado pequeñas)
- 3 cucharadas de aceite de oliva
- 1 cebolla pequeña finamente picada
- 2 dientes de ajo picados
- 3 cucharadas de curry en polvo

- 1 cucharadita de canela en polvo
- 1 cucharadita de pimentón
- 1 hoja de laurel
- 1/2 cucharadita de raíz de jengibre recién rallada
- 1 cucharada de extracto de tomate
- 1 botella de leche de coco
- 1/2 limón (jugo)
- 1 pimiento morrón rojo
- 1 taza de piña (opcional)

Preparación

1. En un recipiente sazone los dados de pollo con sal y jugo de limón y reserve.
2. Poner en una sartén el aceite de oliva, el ajo, la cebolla y sofreír hasta que se doren.
3. Luego ponga el pollo en la sartén y saltee hasta que esté dorado.
4. Agregue piña (opcional), curry, canela, pimentón, laurel, extracto de tomate, jengibre y pimiento rojo. Saltee por unos minutos más (si es necesario, agregue una taza de agua).
5. Agregue la leche de coco, cocine por unos minutos más y sirva.

Ensalada de quinua con garbanzos y queso feta

Ingredientes:
- 1 cebolla
- 1 dedo de ajo
- 1 cucharada de aceite de oliva
- 150 ml de caldo de verduras
- 100 g de quinua
- 60 g de queso feta
- 215 g (peso escurrido, del tarro) garbanzos
- 1 manojo pequeño de cilantro
- 0,5 limón
- sal
- pimienta
- 0.5 cucharaditas de Ras el Hanout

preparación

1. Pelar y picar finamente la cebolla y el ajo, sofreír en una cacerola con aceite. Desglasar con el caldo de verduras, llevar a ebullición y cocinar la quinua según las instrucciones del paquete.

2. Mientras tanto, verter los garbanzos del vaso en un colador, enjuagar y escurrir. Lavar el cilantro, agitar para secar y picar. Exprime el limón. Prepara un aderezo con jugo de limón, sal, pimienta, Ras el Hanout y cilantro.

3. Poner la quinua terminada en un bol, verter los garbanzos escurridos y el aderezo por encima. Finalmente, desmenuza el queso feta y mézclalo con la ensalada de quinua. Déjelo reposar durante al menos 15 minutos. La ensalada sabe tibia o fría.

Tortilla y verduras de verano

Ingredientes

- Aceite en aerosol antiadherente
- 1/4 taza de maíz en grano entero congelado, descongelado
- 1/3 taza de calabacín picado
- 3 cucharadas de cebolla verde picada
- 2 cucharadas de agua
- 1/4 cucharadita de pimienta negra
- 2 claras de huevo grandes
- 1 huevo entero grande
- 1 onza de queso cheddar fuerte bajo en grasa

Preparación

1. Calienta una taza a fuego medio-alto. Cubra con aceite en aerosol.
2. Agrega el maíz, el calabacín y la cebolla a la olla; sofría 4 minutos o hasta que estén tiernos y firmes.
3. Quita el fuego. Caliente una sartén de 10 pulgadas a fuego medio-alto. Combine en un bol el agua, la pimienta, las claras de huevo y el huevo, mezcle bien con un batidor de varillas.
4. Cubra con aceite en aerosol.
5. Vierta la mezcla de huevo en el bol; cocine hasta que los bordes estén firmes (aproximadamente 2 minutos).
6. Levante suavemente los bordes de la tortilla con una espátula, inclinando la sartén para que la mezcla de huevo crudo entre en contacto con la sartén.

7. Espolvorea la mezcla de verduras con queso usando una cuchara en la mitad de la tortilla.
8. Con la espátula, pele la tortilla y doble la tortilla hacia atrás (por la mitad).
9. Cocine dos minutos más o hasta que se derrita. Desliza la tortilla en un plato.

Espárragos de saúco con queso crema de hierbas

Ingredientes
- 1 kg de espárragos blancos
- 3 cucharadas de mantequilla
- 4 cucharadas de jarabe de flor de saúco
- sal
- 5 umbelas de flor de saúco
- 500 g de patatas cerosas
- 10 g de menta (0,5 manojo)
- 300 g de queso crema
- 150 g de yogur (3,5% de grasa)
- pimienta
- 1 cucharadita de jugo de limón
- 10 g de perejil (0,5 manojo)
- 10 g de cebollino (0,5 manojo)

Pasos de preparación
1. Se pelan los espárragos y se cortan los extremos leñosos. Con 1 cucharada de mantequilla, engrase una fuente para horno y

coloque los palitos en ella. Condimentar con sal, clasificar la flor de saúco y esparcir sobre los espárragos. Rocíe con el almíbar. Tapar el molde y cocer los espárragos durante 60–80 minutos en un horno precalentado a 100 ° C (horno ventilador: 80 ° C; gas: nivel 1).

2. Pele y lave las patatas y cocine en agua hirviendo con sal durante 25 a 30 minutos.

3. Lave la menta, agítela para secarla y pique las hojas finamente. Mezclar el yogur con el queso crema, incorporar la menta y sazonar con la sal, la pimienta y el zumo de limón.

4. Lavar y secar el perejil, agitar y picar. En una sartén, calienta la mantequilla restante, escurre las patatas, deja que se evaporen y echa la mantequilla y el perejil en la sartén caliente.

5. Lave las cebolletas, sacúdalas para secarlas y luego córtelas en rollos. Sacar los espárragos del horno con las umbelas de flores, disponer 4 platos con las patatas al perejil y el queso crema de menta, y servir espolvoreados con cebollino.

Ensalada de Lubina y Pimientos

Ingredientes
- Lubina muy limpia: Un filete de 150 g.
- Lechugas surtidas: 100 g.
- Cebolletas: Al gusto
- Pimiento rojo fresco o asado: 1

- Tomates cherry al gusto
- Diente de ajo y perejil 1
- Puerro 1
- Zanahoria 1
- Aceite de oliva una cucharada
- Sal y limón al gusto

Direcciones

1. Ponemos el filete de lubina en papel de aluminio. En el mortero, picar el ajo y el perejil, añadir 2 cucharaditas pequeñas de aceite y cubrir con él el filete de lubina.
2. También ponemos unas tiras de puerro y zanahoria sobre el filete de lubina (las tiras de verduras se pueden hacer con el pelador de frutas) y un poco de sal. Ahora cerramos bien el papel de aluminio y lo metemos al horno a 120 ºC durante 8-10 minutos. Una vez cocido, déjalo enfriar.
3. En una ensaladera ponemos la mezcla de lechugas y picamos muy finamente el cebollino y el pimiento. Nosotros también lo agregamos. Agrega los tomates cherry cortados en cuartos. Agrega solo una cucharadita pequeña de aceite de oliva, sal y limón como aderezo y remueve bien y ahora agrega el pescado con las verduras que hemos cocido al horno y listo para comer.

Pastel de pastor al horno fácil

Ingredientes

- 500 gramos de carne de pato recién molida
- 3 cucharadas de aceite o aceite de oliva
- 1 cebolla pequeña finamente picada
- 1 cucharadita de condimento de ajo y sal ya preparado
- 1 cucharada de chimichurri de especias secas
- 4 papas medianas cocidas y trituradas
- 1 cucharada de mantequilla
- 100 ml de leche
- 25 gramos de queso parmesano rallado
- 1 pizca de sal

Preparación

1. En una sartén calentar el aceite, la cebolla y sofreír.
2. Agrega la carne y el condimento de ajo y sal.
3. Freír bien hasta que se seque el agua de carne acumulada.
4. Después de que la carne esté frita, agregue suficiente agua para cubrir la carne.
5. Déjalo cocer con la sartén sin tapa hasta que el agua casi se vuelva a secar.
6. Agrega el chimichurri, revuelve y cocina hasta que el agua se seque y la carne se fríe hasta que esté bien seca.
7. Pon la carne en una fuente refractaria y reserva.
8. Preparar un puré mezclando los ingredientes restantes y esparcirlo sobre la carne.
9. Hornee durante unos 20 minutos o hasta que se enrojezca.
10. Retirar y servir.

Pescado en salsa de hierbas, ajo y tomate

Ingredientes

- 6 dientes de ajo pelados y enteros
- 300 gramos de cebolla mini cortada a la mitad
- 300 gramos de tomate pera (o cherry) a la mitad
- 1 paquete de hierbas (albahaca, perejil y tomillo) picadas en trozos grandes
- 1/2 taza de aceite de oliva
- 1 filete de merluza
- 2 tazas de harina de trigo
- 3 huevos
- 3 tazas de harina de maíz
- pimienta negra al gusto
- aceite para freír
- sal al gusto

Preparación

1. En una fuente para hornear grande, coloque el ajo, la cebolla, el tomate y las hierbas. Mezclar el aceite de oliva, la sal y la pimienta.
2. Envuelve los filetes de pescado y cúbrelos con papel film.
3. Refrigera y marina por 1 hora.
4. Retirar los filetes de pescado, pasar la harina, luego los huevos batidos con un poco de sal y por último la harina de maíz. Refrigerar.

5. Coloca la bandeja de horno con la marinada en el horno, precalentado a 200 ° C, y déjalo hornear durante unos 20 minutos.
6. Saca los filetes empanizados de la nevera y fríelos en aceite caliente hasta que se doren.
7. Sirve el pescado con la salsa en la fuente para horno.

Ensalada picante con col rizada y frijoles blancos

Ingredientes:
- 1 manojo grande de col rizada bien lavada
- 1-2 cucharadas de aceite de oliva
- 1 tallo de romero fresco, con las hojas retiradas del tallo y cortadas
- 1 cebolla pequeña, cortada
- 1 zanahoria grande, en rodajas
- ½ cucharadita de ralladura de limón finamente rallada
- 1 diente de ajo picado
- Sal al gusto
- 2 tazas de frijoles de lima cocidos u otros frijoles blancos más caldo de cocción o 1 lata (14 onzas)
- 1 taza de perejil natural, cortado
- Aceite de oliva virgen extra, para rociar
- Jugo de ½ limón a pequeño, para rociar (opcional)

Preparación

1. Retire las hojas de los tallos de col rizada. Cortar en trozos pequeños. Dejar de lado.
2. Escurre las judías blancas, reservando su caldo. Si usa frijoles enlatados, escurra y lave. Dejar de lado.
3. En una olla grande, calienta el aceite a fuego medio-alto hasta que empiece a hervir. Agrega el romero, reservando una cucharadita, déjalo hervir un momento, y luego agrega la cebolla picada, la zanahoria y la ralladura de limón. Mezclar bien y bajar la temperatura. Cubra y "sude" las verduras durante minutos o hasta que estén blandas y la cebolla esté un poco dorada, revolviendo de vez en cuando para asegurarse de que no se peguen ni se quemen.
4. Sube la temperatura a media-alta. Agrega el ajo cortado, revuelve y cocina por 5 minutos. Agrega las verduras cortadas con una buena pizca de sal y sofríe hasta que comiencen a marchitarse y ablandarse.
5. Agregue ½ taza de caldo de frijoles o agua. Deje hervir, baje la temperatura durante 10 a 15 minutos, o hasta que las verduras estén blandas y el líquido se haya evaporado. Pon un poco más de caldo o agua si las verduras parecen muy secas.
6. Mezcle el perejil picado y la cucharadita restante de romero, cocine por 1 minuto, luego agregue los frijoles a la olla. Mezclar cuidadosamente con las verduras. Prueba el condimento.
7. Apaga el fuego y deja reposar la quinua tapada durante 5 minutos. Servir espolvoreado con un poco de aceite de oliva y un poco de jugo de limón.

Pez espada de cebolleta

Ingredientes

- 800 g de pez espada
- 1 limón (mediano)
- 1 dl de aceite de oliva
- 2 cebollas
- 1 dl de vino blanco
- 1 c. (postre) perejil picado
- 4 manzanas royal gala
- 1 c. (sopa) Mantequilla
- 150 g de cebollino
- Sal qs
- Pimentón qs
- Salsa qs

Preparación

1. Condimente las rodajas de pez espada con sal y jugo de limón. Déjalos macerar durante 30 minutos. Pasado este tiempo, las rehogamos en aceite de oliva. Agrega las cebollas peladas y en rodajas a medias lunas y déjalas sofreír.
2. Enfriar con vino blanco y sazonar con un poco más de sal. Espolvorea con perejil picado. Pelar las manzanas, cortarlas en gajos y sofreírlas en mantequilla. Pelar las cebolletas y agregarlas a la fruta.

3. Condimente con un poco de sal y pimentón. Sirve el pescado cubierto con las cebolletas y acompañado con la manzana y las cebolletas salteadas. Adorne con perejil.

Riñones de ternera

ingredientes
- 1 riñón de ternera 500 g
- leche para insertar el riñón
- 1 cebolla 60 g
- 1 diente de ajo
- 2 cucharadas de aceite de oliva
- 1 pizca de azúcar
- 150 ml de jerez seco
- 50 g de nata montada
- 1 hoja de laurel fresca
- sal
- pimienta del molino
- 1 cucharada de estragón finamente picado

Pasos de preparación
1. Cortar por la mitad el riñón de la ternera longitudinalmente, parar, enjuagar bien y cubrir durante unos 45 minutos con leche, luego retirar, secar y cortar en trozos pequeños.

2. Pelar la cebolla y los dientes de ajo, picar la cebolla en trozos grandes y cortar el ajo finamente. Calentar el aceite en una sartén, freír rápidamente los trozos de riñón, retirarlos y mantener caliente.

3. Rehogar las cebollas y los ajos hasta que queden translúcidos en la grasa de freír, espolvorear con el azúcar, desglasar con jerez, poner la hoja de laurel y cocinar durante 5 minutos. Sazone con sal y pimienta, retire la hoja de laurel y retire la salsa del fuego. Agrega la nata y la mitad del estragón, agrega el jugo y los riñones y caliéntalos con cuidado (no debe hervir más). Coloca los riñones en un bol precalentado y sirve el estragón restante espolvoreado con él.

Ensalada de pollo y calabacín con nueces

Ingredientes
- 3 calabacines
- 500 g de filete de pechuga de pollo
- sal
- pimienta
- 4 cucharadas de aceite de oliva
- ½ traste de menta

- ½ limón
- 80 g de nueces

Pasos de preparación

1. El calabacín debe lavarse y limpiarse y cortarse en rodajas finas. Sazone con sal y pimienta, enjuague el filete de pollo con agua fría y seque.
2. En una sartén, caliente 2 cucharadas de aceite. Fríe el pollo en él durante aproximadamente 10 minutos a fuego medio hasta que esté dorado. Reducir el fuego y dejar cocer los filetes de pechuga de pollo.
3. En otra sartén, calienta el aceite restante. Saltee las rodajas de calabacín durante unos 4 minutos a fuego medio.
4. Lave la menta, sacuda las hojas secas y retírelas. Exprime los limones por la mitad.
5. Saca el pollo del vaso, escúrrelo sobre papel de cocina y córtalo en rodajas finas. Pica las nueces en trozos grandes y mézclalas bien con el calabacín, el pollo, la menta y el jugo de limón. Use sal y pimienta para sazonar y colocar en tazones.

CAPITULO SEIS
Recetas de cena

Chile vegetal

Ingredientes

- 2 cebollas
- 2 dedos de ajo
- 1 vaina (s) de chile
- 1 cucharada de aceite
- 2 pimientos
- 4 tomates
- 400 g de frijoles rojos
- 1 cucharada de pimentón en polvo
- 1 pizca de semillas de alcaravea
- 1 cucharada de mejorana
- 200 ml de sopa
- sal
- pimienta

Preparación

1. Prepara la sopa para el ají de verduras. Pelar el ajo y la cebolla y picar finamente junto con la guindilla. Calentar el aceite en una sartén y sofreír el ajo, la cebolla y la guindilla.
2. Cortar en dados los pimientos y los tomates y agregar a la sartén con los frijoles. Continuar friendo durante 2-3 minutos, revolviendo constantemente, sazonar con sal y pimienta y desglasar con la sopa.
3. Triturar las semillas de alcaravea y espolvorear con pimentón en polvo y mejorana al gusto. Las verduras de chile hierven a fuego lento otros 10 minutos.

Ternera al ají con frijoles rojos

Ingredientes

- 50 g de grasa de tocino
- 2 cucharadas de aceite
- 2 uds. Cebollas
- 2 pimientos
- 500 ml de sopa de ternera
- 340 g de carne en conserva (lata)
- 1 taza de tomates (pelados)
- 800 g de frijoles rojos
- Sal (poco)

- pimienta de cayena
- Pimentón en polvo (rosa fuerte)
- Condimento de chili con carne

Preparación

1. Para la carne de chili con frijoles rojos, pique finamente el tocino y déjelo en el aceite.
2. Pelar, picar y rehogar la cebolla hasta que esté transparente. Cortar los pimientos por la mitad, quitarles los tallos y las semillas, lavar y cortar la pulpa en cubos de unos 2 cm.
3. Agregue a la mezcla de tocino y cebolla junto con la sopa y cocine hasta que esté lo suficientemente suave como para que todavía muerda. Cortar en dados la carne en conserva, agregar con los tomates enlatados y el jugo.
4. Escurrir y agregar los frijoles. Calienta de nuevo. Sazone con un poco de sal, pimentón en polvo, pimienta de cayena, especias de chili-con-carne y sirva la carne de chili con frijoles rojos.

Papas al horno con frijoles

Ingredientes

- 6 patatas (grandes)
- 4 cucharadas de ghee (o aceite)
- 1 cebolla (picada, grande)
- 2 dientes de ajo (machacados)

- 1 cucharadita de cúrcuma (molida)
- 1 cucharada de comino (comino)
- 2 cucharadas de pasta de curry suave o medianamente picante
- 350 g de tomates cóctel
- 400 g de cejas derramadas y enjuagadas
- 400 g de alubias rojas lavadas y escurridas de la lata
- 1 cucharada de limón (jugo)
- 2 cucharadas de Paradeismark
- 150 ml de agua
- 2 cucharadas de menta fresca picada o cilantro
- sal
- pimienta

preparación

1. Cepille las patatas y píquelas un par de veces con un tenedor. Hornee en la estufa calentada a 180 ° C / marca de gas 4 de 1 a 1 durante un cuarto de hora hasta que las papas cedan con una ligera presión.
2. Empiece a preparar los frijoles unos 20 minutos antes de que finalice el tiempo de horneado. Calentar el ghee o el aceite en una cacerola, agregar la cebolla y sofreír por 5 minutos a baja temperatura, revolviendo frecuentemente. Agrega la cúrcuma, el comino, el ajo y la pasta de curry y deja que se encienda durante 1 minuto.
3. Mezcle los tomates, los guisantes negros y el jugo de limón rojo, los frijoles, la pulpa de tomate, el agua y la menta picada. Sazone bien con sal y pimienta recién molida, luego cubra y cocine a fuego lento durante 10 minutos a baja temperatura, revolviendo con frecuencia.
4. Cuando estén cocidas, corte las patatas por la mitad y triture ligeramente la pulpa con un tenedor. La mezcla de frijoles

preparada sobre el molde, colocar en platos calientes para servir y llevar a la mesa en el acto.

5. Patatas horneadas con cáscara, encima de las cuales se vierte una sabrosa mezcla de frijoles en una salsa picante. Un plato delicioso, abundante y rico en fibra.

6. Crúcelos en la parte superior y presiónelos ligeramente para abrirlos. Vierta un poco de la mezcla preparada en la cruz. El resto del relleno junto a él se forma.

Pastel de carne y riñón

Ingredientes

- 500 g de ternera (cortada en cubitos)
- 225 g de riñones (de vaca o ternera, limpios y cortados)
- 1 cebolla (picada)
- 150 g de champiñones (limpios y en rodajas)
- 250 ml de caldo de res
- 2 cucharadas. pasta de tomate (opcional)
- 1 cucharada. maicena
- 250 g de hojaldre (o masa partida)
- 1 huevo (batido)
- 1 cucharadita sal
- 1 cucharadita pimienta (pimienta negra molida)
- 3 cucharadas petróleo

- agua (para disolver la maicena)

Instrucciones

1. Calentar el aceite en una cazuela y dorar la carne. Lo sacamos y lo reservamos.
2. En el mismo aceite, sofreimos la cebolla hasta que se ablande.
3. Agregue los riñones, la pasta de tomate, si se usa, los champiñones y el caldo.
4. Tapa la cazuela y baja el fuego cuando la salsa empiece a hervir, dejándola hervir a fuego lento hasta que la carne esté tierna unos 30 minutos.
5. Cuando esté casi hecho, podemos empezar a calentar el horno a 180º C.
6. Mezclar la maicena con un poco de agua y agregarla a la cazuela donde se van a cocinar la carne y los riñones, mezclar con la salsa, sazonar con sal y pimienta, dejar cocer el guiso 5 minutos más, hasta que espese la salsa.
7. Pasamos la carne y los riñones con su salsa a una fuente de horno.
8. Estiramos la masa lo suficiente como para cubrir la fuente a modo de cobertura. Humedecemos el borde de la fuente con agua y presionamos la masa contra el borde para sellarlo.
9. Hacemos un corte en el medio para que se escape el vapor, y pintamos la masa con un huevo batido.
10. Introducimos la tarta de carne y riñones en el horno y dejamos cocer durante 30 minutos, o hasta que se dore la masa que recubre la tarta.
11. Servimos el bizcocho muy caliente, casi nada más salir del horno para que el vapor no ablande la masa.

Cazuela De Coliflor Y Calabaza

Ingredientes

- 2 cucharadas. aceite de oliva
- 1/4 de cebolla amarilla mediana, picada
- 6 tazas de col rizada forrajera picada en trozos pequeños (aproximadamente 140 g)
- 1 diente de ajo pequeño, picado
- Sal y pimienta negra recién molida
- 1/2 taza de caldo de pollo bajo en sodio
- 2 tazas de calabaza en cubitos de 1,5 cm (unos 230 g)
- 2 tazas de calabacín en cubitos de 1,5 cm (unos 230 g)
- 2 cucharadas. mayonesa
- 3 tazas de arroz integral congelado y descongelado
- 1 taza de queso suizo rallado
- 1/3 taza de queso parmesano rallado
- 1 taza de harina panko
- 1 huevo batido grande
- Spray para cocinar

Preparación

1. Precaliente el horno a 200 ° C. Calienta el aceite en una sartén antiadherente grande a fuego medio. Agregue las cebollas y cocine, revolviendo ocasionalmente, hasta que estén doradas y tiernas (aproximadamente 5 minutos). Agregue el repollo, el ajo y 1/2 cucharadita de sal y 1/2 cucharadita de pimienta y cocine hasta que el repollo esté liviano (aproximadamente 2 minutos).

2. Agregue el caldo y continúe cocinando hasta que el repollo se seque y la mayor parte del caldo se evapore (aproximadamente 5 minutos). Agregue la calabaza, el calabacín y 1/2 cucharadita de sal y mezcle bien. Continúe cocinando hasta que la calabaza comience a ablandarse (aproximadamente 8 minutos). Retirar del fuego y agregar mayonesa.

3. En un tazón, combine las verduras cocidas, el arroz integral, el queso, 1/2 taza de harina y el huevo grande y mezcle bien. Rocíe una cazuela de 2 litros con aceite en aerosol. Extienda la mezcla por el fondo de la sartén y cubra con la harina restante, 1/4 de cucharadita de sal y unas pizcas de pimienta. Hornee hasta que la calabaza y el calabacín estén tiernos y la parte superior dorada y crujiente (aproximadamente 35 minutos). Servir caliente.

Ensalada tailandesa de ternera Tears of the Tiger

Ingredientes

- 800 g de solomillo de ternera

Para el adobo:

- 2 cucharadas de salsa de soja
- 1 cucharada de sopa de miel
- 1 pizca del molinillo de pimienta

Para la salsa:

- 1 manojo pequeño de cilantro fresco
- 1 pequeño ramo de menta
- 3 cucharadas de sopa de salsa de pescado
- verde limón
- 1 diente de ajo
- cucharadas de sopa de palma azucarera (o azúcar morena)
- 1 pimiento o diez gotas de Tabasco
- 1 vaso pequeño de arroz tailandés crudo para hacer polvo de arroz a la parrilla
- 200 g de rúcula o brotes tiernos de ensalada

Preparación

1. Cortar el solomillo de ternera en tiras y ponerlo en un recipiente. Espolvoree con 2 cucharadas de salsa de soja, 1 cucharada de miel y pimienta. Aunque remojar bien y dejar macerar 1 hora a temperatura ambiente.

2. Mientras tanto, prepare el arroz en polvo tostado. Vierta un vaso de arroz tailandés en una sartén antiadherente. Seque el color del arroz, revolviendo constantemente para evitar que se queme. Cuando tenga un color agradable, deséchelo en un plato y déjelo enfriar.
3. Cuando se haya enfriado, reduzca a polvo mezclándolo con el robot.
4. Lavar y picar finamente la menta y el cilantro. Ponga en un recipiente y agregue jugo de limón, diente de ajo picado, 3 cucharadas de Nuoc mam, 3 cucharadas de azúcar morena, 3 cucharadas de agua, 1 cucharada de salsa de soja y una docena de gotas de Tabasco. Mezclar bien y dejar reposar el tiempo que se derrita el azúcar y se mezclen los sabores.
5. Coloque una cama de ensalada en un plato. Cocinar las tiras de ternera y ponerlas sobre la ensalada. Espolvorea con la cucharada de salsa y arroz en polvo tostado. Servir tal cual o con un arroz blanco cocido tailandés aromatizado.

Verduras de primavera con tofu del wok

Ingredientes:

- 500 g de espárragos verdes
- alternativamente: 2 pimientos amarillos o rojos
- 1 manojo de cebolletas
- 350 g de col puntiaguda
- 1 tazón de berros

- 1 paquete (100 g) de brotes mixtos
- 25 g de jengibre fresco
- 2 dientes de ajo
- 1 guindilla seca
- 3-4 cucharadas de salsa de soja
- 3 cucharadas de jugo de lima
- 4 cucharadas de aceite
- 300 g de tofu
- para dar vuelta: harina integral de espelta

Preparación

1. Lavar los espárragos, cortar los extremos leñosos, cortar los tallos en trozos de unos 2 cm de ancho. Lavar, descorazonar y, alternativamente, cortar los pimientos en trozos adecuados.
2. Limpiar, lavar y cortar las cebolletas en trozos. Limpia y lava la col puntiaguda, cortando el tallo. Corta tiras finas de repollo. Limpiar, secar, centrifugar y lavar. Conéctelos en pedacitos del tamaño de un bocado. Pelar y picar el jengibre y el ajo. El chile seco se desmorona. Combine en un bol, la salsa de soja y el jugo de limón. Agrega el aceite de sésamo.
3. Calentar un wok o sartén honda con 2 cucharadas de aceite. Corta el tofu en trozos pequeños y mézclalo con un poco de harina integral. Freír en aceite caliente hasta que se doren. Condimentar con sal y pimienta. Use papel de cocina para quitar / escurrir. Drena ese aceite.
4. Calentar el aceite de wok restante. Freír los espárragos 1-2 minutos mientras revuelve. Freír las cebollas y el repollo y las verduras restantes durante un minuto. Combine la marinada, doble los trozos de tofu. Condimentar con sal y pimienta.

Ensalada de espárragos y zanahoria con burrata

Ingredientes

- 250 g de espárragos blancos
- 250 g de espárragos verdes
- 2 zanahorias
- 3 cucharadas de aceite de oliva
- 1 cucharada de semillas de girasol
- 1 cucharada de jugo de limón
- 150 g de tomates cherry
- 1 puñado de rúcula
- 1 cebolla tierna
- 2 balas burrata

Pasos de preparación

1. Se pelan los espárragos y se cortan los extremos inferiores. Se lavan los espárragos verdes y se cortan también las puntas leñosas. Córtalo en trozos con los espárragos. Limpiar, pelar y cortar en palitos con las zanahorias.

2. En una cacerola, calienta el aceite y sofríe los espárragos y las zanahorias a fuego medio durante cinco minutos. Agregue las semillas al girasol y ase durante 3 minutos. Desglasar con jugo de limón y agregar sal y pimienta para condimentar la mezcla de espárragos y zanahoria. Retíralo del fuego y déjalo enfriar.

3. Lavar los tomates y cortarlos en cuartos al mismo tiempo. Lavado de cohetes y batido en seco. Las cebolletas se limpian, se lavan y se cortan en trozos.

4. Mezclar los tomates, la rúcula y las cebolletas con los espárragos, disponerlos en platos y servir cada uno con una cucharada de burrata.

Ensalada de quinua ganadora

Ingredientes

- 200 g de quinua
- 1 mango
- 1 pepino
- 3 tomates
- 1 pimiento rojo
- 150 g de lechuga de cordero
- 1 cebolla morada
- 2 tallos de menta
- 150 g de queso feta (45% de grasa en materia seca)
- 1 cucharada de aceite de oliva
- 1 cucharada de vinagre de sidra de manzana
- sal
- pimienta

Pasos de preparación

1. Enjuagar la quinua con agua fría, llevar a ebullición en una cacerola con el doble de agua y cocinar a fuego lento durante unos 10 minutos. Mientras tanto, pelar el mango, cortarlo del

hueso y cortar la pulpa en dados. Limpiar, lavar y cortar el pepino, los tomates y los pimientos. Lavar la lechuga de cordero y secar. Pelar y picar la cebolla. Lavar la menta, agitar para secar, arrancar las hojas y cortar en tiras. Corta el queso feta en dados.

2. Escurre la quinua, escurre y transfiere a un bol. Agrega el mango, el pepino, los tomates, el pimiento morrón, la lechuga de cordero, la cebolla, la menta y el queso feta y mezcla. Condimente la ensalada con aceite de oliva, vinagre de manzana, sal y pimienta.

CAPITULO SIETE
Postres y Dulces

Pastel de arándanos frescos

Ingredientes

- 1 ½ taza de galletas Graham desmenuzadas
- ¼ de taza de nueces picadas sin sal
- 1 ¾ taza de edulcorante Splenda
- ½ taza de margarina sin sal no hidrogenada
- 1 ½ taza de arándanos rojos recién cosechados
- 2 claras de huevo
- 1 cucharada. concentrado de jugo de manzana descongelado
- 1 cucharada. extracto de vainilla
- 1 litro de cobertura batida Cool Whip, descongelada

Glaseado de arándano:

- ¼ taza de edulcorante Splenda
- ¼ de taza de azúcar en polvo
- 1 cucharada. maicena
- ¾ taza de arándanos frescos
- ¾ taza de agua

Preparación

1. Precaliente el horno a 375 ° F (190 ° C).

2. Mezcle las galletas desmenuzadas, las nueces y ¾ de taza de Splenda. Agrega la margarina, mezcla bien y acomoda en un molde con bisagras presionando el fondo y los lados. Hornee la masa durante 6 minutos o hasta que esté ligeramente dorada. Dejar enfriar.

3. Mezcle los arándanos con 1 taza de Splenda. Deje reposar durante 5 minutos. Agrega las claras de huevo, el jugo de manzana y la vainilla. Batir a velocidad baja hasta que esté espumoso y luego batir a velocidad alta durante 5 a 8 minutos hasta que la mezcla esté firme.

4. Agregue la cobertura batida en la mezcla de arándanos. Vierta la mezcla sobre la masa precocida. Refrigere por lo menos 4 horas hasta que la mezcla esté firme.

5. Para hacer el glaseado, mezcle el azúcar, la Splenda y la maicena en una cacerola. Agregue los arándanos y el agua. Cocine, revolviendo hasta que aparezcan burbujas. Continúe cocinando, revolviendo ocasionalmente hasta que se desprenda la piel del arándano. Usa la mezcla a temperatura ambiente. No refrigerar: la salsa puede cristalizarse y volverse opaca.

6. Retire la tarta de la sartén y colóquela en una fuente para servir; con una cuchara, cubra con glaseado.

Manzanas y arándanos crujientes

Ingredientes

Crujiente

- 1 taza (1¼ taza) de avena de cocción rápida
- ¼ de taza (60 ml) de azúcar morena
- ¼ de taza (60 ml) de harina para todo uso sin blanquear
- 90 ml (6 cucharadas) de margarina derretida

Adornar

- 125 ml (½ taza) de azúcar morena
- 20 ml (4 cucharaditas) de maicena
- 1 litro (4 tazas) de arándanos frescos o congelados (sin descongelar)
- 500 ml (2 tazas) de manzanas ralladas
- 1 cucharada.
- (15 ml) de margarina derretida 15 ml (1 cucharada) de jugo de limón

Preparación

1. Pon la parrilla en el centro del horno. Precaliente el horno a 180 ° C (350 ° F).
2. En un bol, mezcle los ingredientes secos. Agregue la margarina y mezcle hasta que la mezcla esté apenas humedecida. Libro.
3. En un molde para hornear cuadrado de 20 cm (8 pulgadas), combine el azúcar morena y la maicena. Agregue las frutas, la margarina, el jugo de limón y mezcle bien. Cubra con crujiente y hornee entre 55 minutos y 1 hora, o hasta que el crujiente esté dorado. Sirva tibio o frío.

Ingredientes

Preparación de merengue

- 2 claras de huevo
- 1/2 taza de azúcar en polvo
- 1/4 cucharadita extracto de vainilla
- 1/4 taza de azúcar de cebada desmenuzada

Preparación de mousse de frambuesa

- 1 taza de frambuesas congeladas
- 1/4 taza de agua
- 2 cucharadas. Polvo de gelatina de frambuesa sin azúcar añadido
- 1 1/2 taza de batido frío
- 1 tazón de frambuesas frescas

Preparación

1. Para hacer el merengue, precaliente el horno a 350 o F (175 o C) y forre una bandeja para hornear con papel pergamino.
2. En una licuadora o bol, bata las claras de huevo hasta obtener la espuma. Agregue suavemente el azúcar mientras bate hasta obtener picos firmes y brillantes. Agregue el extracto de vainilla y el azúcar de cebada desmenuzado.
3. Forme los merengues en la bandeja para hornear recubierta y colóquelos en el horno precalentado. Apague el horno y espere 2 horas. No abra el horno. Una vez que los merengues estén secos, rompa los merengues en pequeños bocados.

4. Para hacer la mousse, ponga las frambuesas congeladas y el agua en una cacerola pequeña. Caliente hasta que las frambuesas se derritan y estén tiernas. Pon estas frambuesas en una licuadora. Agregue el polvo de gelatina y mezcle. Una vez que las frambuesas se hayan enfriado por completo, incorpora el Cool Whip.
5. Para darle forma a la frambuesa, coloque en vasos de globo para porciones individuales o en un molde para pasteles grande primero una capa de mousse de frambuesa, luego una capa de merengue, luego frambuesas frescas. Repite las capas. Refrigere por unas horas antes de servir.

Mousse de tarta de queso con frambuesas

Ingredientes
- 1 taza de relleno de limonada ligera
- 1 lata de 8 oz de queso crema a temperatura ambiente
- 3/4 taza de gránulos de edulcorante sin calorías SPLENDA
- 1 cucharada. en t. de ralladura de limón
- 1 cucharada. en t. extracto de vainilla
- 1 taza de frambuesas frescas o congeladas

Preparación
1. Batir el queso crema hasta que esté espumoso; agregue 1/2 taza de SPLENDA Granules y mezcle hasta que se derrita. Agregue la ralladura de limón y la vainilla.

2. Reserva algunas frambuesas para decorar. Tritura el resto de las frambuesas con un tenedor y mézclalas con 1/4 taza de bolitas de SPLENDA hasta que se derrita.
3. Agregue ligeramente la masa y el relleno de queso, y luego, suave pero rápidamente, agregue las frambuesas trituradas. Repartir esta mousse en 6 moldes con una cuchara y conservar en el frigorífico hasta su sabor.
4. Decore las mousses con las frambuesas reservadas y decore con menta fresca antes de servir.

Galletas de merengue de almendras

Ingredientes
- 2 claras de huevo o 4 cucharadas. claras de huevo pasteurizadas (a temperatura ambiente)
- 1 cucharada. crema tártara
- ½ cucharadita
- ½ cucharadita de extracto de almendra extracto de vainilla
- ½ taza de azúcar blanca

Preparación
1. Precaliente el horno a 300F.
2. Batir las claras de huevo con el crémor tártaro hasta duplicar el volumen. Agrega los demás ingredientes y bate hasta que se formen picos.
3. Con dos cucharaditas, coloque una cucharada de merengue en papel pergamino con el dorso de la otra cuchara.

4. Hornee a 300F durante unos 25 minutos o hasta que los merengues estén crujientes. Coloque en un recipiente hermético.

. Tiramisú de fresa

Ingredientes:
- 4 bizcochos
- 4 cucharadas de sirope de almendras o amaretto
- 50 g de azúcar
- 1/2 vaina de vainilla
- 100 g de mascarpone
- 200g de crema de quark
- 1 cucharada de pistachos picados
- 200g de fresas

Preparación:
1. Tritura la mitad de las fresas con 1 cucharada de azúcar y la pulpa de vainilla. Corta las fresas restantes en trozos pequeños. Mezclar el mascarpone y el quark de nata con el azúcar restante.
2. Rompa los dedos de bizcocho en trozos y divídalos en cuatro vasos. Vierta sirope de almendras encima, luego esparza el puré de fresa y las fresas encima. Vierta la mezcla de quark y decore con un trozo de fresa y los pistachos.
3. Deje remojar en el frigorífico durante una hora.

Cazuela de arroz con cerezas

Ingredientes:
- 300 ml de agua
- 150 ml de nata
- 1 sobre de azúcar de vainilla
- 100 g de arroz con leche
- 1 huevo
- 1 clara de huevo
- 50 g de mantequilla
- 50 g de azúcar
- 200g de guindas en conserva escurridas
- 1 cucharada de pan rallado
- 1 cucharada de azucar

Preparación:
1. Mezclar el agua y la nata en un cazo y llevar a ebullición. Esparcir el arroz con leche y el azúcar de vainilla y cocinar durante 25 minutos a fuego lento, revolviendo de vez en cuando. Deje enfriar tibio.
2. Mezcle la mantequilla con el azúcar hasta que esté cremoso y agregue las yemas de huevo. Batir las claras de huevo a punto de nieve. Mezcle el arroz con leche con la grasa y agregue las claras de huevo.
3. Pon las cerezas en una fuente para horno y vierte la mezcla de arroz. Espolvorear con azúcar y pan rallado. Hornee a 180 ° C durante unos 30 minutos.

Pastel de frutas de chocolate

ingredientes

- 300 g de ciruelas pasas
- 300 g de higo seco
- 200 g de fruta horneada
- 200 g de almendras
- 150 g de avellanas
- 5 huevos
- 125 g de mantequilla
- 1 cucharada de miel
- 200 g de harina de espelta
- 1 pizca de clavel molido
- ½ cucharadita de jengibre molido
- 1 cucharada de canela
- 100 g de chocolate negro
- 20 g de aceite de coco

Pasos de preparación

1. Picar las ciruelas, los higos y la fruta horneada. Pica las nueces con un cuchillo o ponlas brevemente en un Blitzhacker. Separe los huevos, bata las claras con una batidora de mano para que la nieve quede firme. Batir la mantequilla y la miel hasta que estén esponjosas, luego agregar la yema de huevo y la harina y revolver hasta obtener una masa suave. Amasar las frutas,

los frutos secos y las especias debajo de la masa e incorporar con cuidado las claras de huevo.

2. Forre un molde para hornear con papel de horno y vierta la masa. Hornee en horno precalentado a 175 ° C (horno ventilador: 150 ° C; gas: velocidad 2) durante unos 60 minutos.

3. Saca el bizcocho del horno y déjalo enfriar. Mientras tanto, picar el chocolate y derretir junto con el aceite de coco a un baño de agua caliente. Deforma el bizcocho con el chocolate.

Mousse de chocolate con aguacate

Ingredientes

- 2 aguacates maduros
- 2 cucharadas de leche de coco
- 40 g de cacao en polvo
- 40 ml de miel
- ½ cucharadita de vainilla en polvo
- ½ cucharadita de semillas de chía (molidas)
- 12 frambuesas
- 1 cucharadita de coco rallado

Pasos de preparación

1. Cortar los aguacates por la mitad, deshuesarlos y colocarlos en una licuadora.
2. Agregue la leche de coco, el cacao en polvo, la miel, la vainilla en polvo y las semillas de chía molidas.
3. Haga un puré hasta obtener una masa cremosa.
4. Enfríe por lo menos 30 minutos o toda la noche antes de servir. Elija las frambuesas, lávelas y séquelas. Decora la mousse de aguacate y chocolate con frambuesas y copos de coco.

Helado de aguacate y menta con chocolate

Ingredientes
- 400 ml de leche de coco (lata)
- 3 aguacates maduros
- 10 g de menta (0,5 manojo)
- 2 cucharadas de jugo de limón
- 50 g de sirope de agave
- 100 g de gotas de chocolate hechas de chocolate negro (contenido de cacao al menos 70%)

Pasos de preparación
1. Abra la leche de coco y saque con una cuchara la parte sólida de la parte superior (no agite la lata de antemano) y colóquela en un tazón grande. Batir la leche de coco firme con una batidora de mano y luego verterla en un pastel o fuente para hornear.

2. Corta los aguacates por la mitad, quita los huesos, quita la pulpa y mételos en la licuadora. Lavar la menta, secar con agitación y arrancar las hojas. Haga puré la pulpa de aguacate con jugo de limón, sirope de agave y menta hasta obtener una masa cremosa y suave.

3. Vierta la mezcla de aguacate sobre la crema de coco espumosa, espolvoree con gotas de chocolate y mezcle la mezcla con cuidado pero de manera uniforme. La superficie de la masa debe ser relativamente lisa.

4. Coloque una película adhesiva sobre la masa de helado y presione ligeramente para que no haya aire entre la película y la masa de helado. Coloque el hielo en el congelador durante al menos 2 horas.

5. Déjalo descongelar brevemente y disfrútalo.

Requesón con ciruelas

Ingredientes

- 700 g de patatas
- 6 ciruelas
- 45 g de mantequilla (3 cucharadas)
- 30 g de miel (2 cucharadas)
- 2 pizcas de canela

- 250 g de quark (20% de grasa en materia seca)
- 50 g de azúcar de coco
- 30 g de pasas (2 cucharadas)
- 150 g de harina de espelta tipo 1050
- 1 huevo
- 1 pizca de cardamomo en polvo
- 1 pizca de clavo en polvo

Pasos de preparación

1. Para las piernas de quark, pelar, lavar, picar las patatas y cocinar a fuego lento en agua hirviendo unos 15 minutos a fuego medio. Luego verter y dejar enfriar durante 10 minutos.

2. Mientras tanto, lave las ciruelas, córtelas por la mitad, retire los huesos, corte las ciruelas en rodajas. Caliente 1 cucharada de mantequilla en una cacerola pequeña. Agrega las ciruelas y sofríe durante 3 minutos a fuego medio. Agrega la miel y deja que se caramelice durante 5 minutos. Sazone con una pizca de canela.

3. Presione las papas a través de una prensa de papas en un tazón. Agregue la cuajada, el azúcar, las pasas, la harina, el huevo y las especias a las papas y amase todo hasta obtener una masa suave; si está demasiado húmedo, agregue un poco de harina. Forme 18 galletas pequeñas con la masa.

4. Freír sucesivamente las bolas de quark. Caliente 1 cucharadita de mantequilla en una sartén. Agregue 4-5 pilas de masa y hornee hasta que estén doradas por cada lado en aproximadamente 3-4 minutos a fuego medio; Utilice también la masa restante. Acomoda la baqueta de queso quark con las ciruelas.

Pastel de crema de coco con la base de chocolate

Ingredientes

- 2do huevos
- 1 pizca de sal
- 80 g de sirope de agave
- 125 g de mantequilla
- 220 g de harina de trigo tipo 1050 o harina de espelta 1050
- ½ paquete de levadura en polvo
- 30 g de cacao en polvo (muy aceitado)
- 1 paquete de natillas en polvo
- 400 ml de leche de coco (9% de grasa)
- 30 g de azúcar de coco
- 40 g de copos de coco
- 4 hojas de gelatina
- 150 ml de nata montada
- 100 g de chocolate negro
- 20 g de aceite de coco

Pasos de preparación

1. Separe los huevos y bata las claras con sal hasta obtener claras. Revuelva el jarabe de agave con la mantequilla y la yema de huevo hasta que esté espumoso. Mezclar la harina, el polvo de hornear y el cacao y colar hasta obtener la espuma

de yema de huevo, luego procesar hasta obtener una masa suave e incorporar las claras con mucho cuidado.

2. Cubra o engrase el molde desmontable con papel para hornear. Agregue la masa, alise y hornee a 180 ° C (convección 160 ° C; gas: nivel 2) durante unos 25-30 minutos (haga una prueba de barra). Luego deja enfriar el bizcocho en el molde.

3. Mientras tanto, revuelva el pudín en polvo con 5-6 cucharadas de leche de coco hasta que quede suave. Poner la leche de coco restante, el azúcar de flor de coco y 30 g de coco rallado en una cacerola y llevar a ebullición. Agregue el polvo de pudín mixto y déjelo hervir mientras revuelve y luego déjelo enfriar.

4. Remoja la gelatina en agua fría. Batir 100 ml de nata hasta que quede firme. Calentar ligeramente la nata restante en una cacerola y disolver en ella la gelatina bien exprimida. Agregue 4 cucharadas de crema de coco y luego agregue al resto de la crema de coco. Agrega la nata y alisa la nata sobre la base de chocolate. Deje enfriar durante al menos 1 hora.

5. Picar el chocolate amargo en trozos grandes y derretir con el aceite de coco sobre el baño María, dejar enfriar un poco. Mientras tanto, retire con cuidado el bizcocho del molde. Cubre el bizcocho con el glaseado de chocolate. Espolvoree con los copos de coco restantes y déjelo reposar. Sirve cortado en trozos.

Paletas de calabacín y menta

Ingredientes

- 2 calabacines
- 10 g de jengibre (1 pieza)
- 30 g de azúcar de flor de coco (3 cucharadas)
- 5 g de menta (1 puñado)
- 50 ml de jugo de limón
- 2 cucharadas de miel

Pasos de preparación

1. Limpiar, lavar y rallar finamente los calabacines. Pelar y rallar finamente el jengibre.
2. Mezclar calabacín con azúcar de flor de coco y jengibre. Lavar las hojas de menta, agitar para secar, mezclar con la mezcla de calabacín y extender sobre 8 moldes de helado.
3. Mezclar jugo de limón con 450 ml de agua y miel. Llenar moldes de hielo y dejar congelar durante aproximadamente 1 hora. Luego inserte palos de madera y déjelos congelar por otras 3 horas. Retirar de los moldes para servir.

Paletas de grosella Skyr

ingredientes

- 250 g de grosellas rojas
- 1 limón orgánico (ralladura)
- 3 cucharadas de sirope de arce
- 200 g de skyr
- 100 g de yogur griego
- 100 g de nata montada

Pasos de preparación

1. Saque las grosellas de las panículas, lávelas y tritúrelas finamente junto con la ralladura de limón y 2 cucharadas de sirope de arce. Extienda la mezcla a través de un colador fino en un bol.

2. Mezcle el Skyr con yogur en otro bol. Agregue 1/3 al puré actual y revuelva.

3. Agrega el resto del jarabe de arce al resto de la mezcla de yogur Skyr. Batir la nata hasta que esté rígida y esparcir la mitad sobre cada una de las dos masas y doblar con cuidado.

4. Rellena la mezcla alternativamente en 6 moldes para helado y revuelve suavemente con una cuchara. Congele durante aproximadamente 1 hora. Luego inserte palos de madera y déjelos congelar por otras 3 horas.

5. Para servir, retire el hielo de los moldes y sirva como desee en un plato de pizarra frío.

Paletas de piña

Ingredientes
- 600 g de pulpa de piña fresca
- 100 g de frambuesas
- 200 g de crema de coco (sin azúcar)
- 50 g de sirope de arroz
- 1 lima (jugo)

Pasos de preparación
1. Cortar la pulpa de piña en trozos, reservar 100 g. Lava las frambuesas con cuidado y sécalas.
2. Mezcle la crema de coco con el almíbar de arroz. Poner la piña junto con la crema de coco y el jugo de lima en una licuadora y triturar finamente.
3. Llene la mezcla en 8 moldes para helado, agregue 4-5 frambuesas cada uno y deje congelar durante aproximadamente 1 hora. Luego inserte palos de madera y déjelo congelar por otras 3 horas. Para servir, retire el hielo de los moldes y acomódelo con los trozos de piña reservados.

Helado de coco y chocolate con semillas de chía

Ingredientes
- 400 ml de leche de coco
- 4 cucharadas de sirope de arce
- 15 g de cacao en polvo (2 cucharadas; muy aceitado)
- 2 bolsitas de té chai
- 12 g de semillas de chía blanca (2 cucharadas)
- 250 g de yogur de soja
- 30 g de chocolate negro (al menos 70% de cacao)

Pasos de preparación
1. Pon la leche de coco en una cacerola. Agregue el jarabe de arce y el cacao en polvo y caliente, pero no los lleve a ebullición. Cuelga la bolsita de té, cúbrela, retira del fuego y deja reposar durante 30 minutos. Luego saca la bolsita de té, exprimiendo el líquido. Mezcle 1 1/2 cucharada de semillas de chía y yogur.
2. Rellenar la masa en 8 moldes de hielo y dejar congelar durante 1 hora aproximadamente. Luego inserte palos de madera y déjelos congelar por otras 3 horas.
3. Picar el chocolate y derretir al baño de agua tibia. Retirar el helado de los moldes y decorar con el chocolate y el resto de semillas de chía.

Mousse de tarta de queso con frambuesas

Ingredientes

- 1 taza de relleno de limonada ligera
- 1 lata de 8 oz de queso crema a temperatura ambiente
- 3/4 taza de gránulos de edulcorante sin calorías SPLENDA
- 1 cucharada. en t. de ralladura de limón
- 1 cucharada. en t. extracto de vainilla
- 1 taza de frambuesas frescas o congeladas

Preparación

1. Batir el queso crema hasta que esté espumoso; agregue 1/2 taza de SPLENDA Granules y mezcle hasta que se derrita. Agregue la ralladura de limón y la vainilla.

2. Reserva algunas frambuesas para decorar. Tritura el resto de las frambuesas con un tenedor y mézclalas con 1/4 taza de bolitas de SPLENDA hasta que se derrita.

3. Agregue ligeramente la masa y el relleno de queso, y luego, suave pero rápidamente, agregue las frambuesas trituradas. Repartir esta mousse en 6 moldes con una cuchara y conservar en el frigorífico hasta su sabor.

4. Decore las mousses con las frambuesas reservadas y decore con menta fresca antes de servir.

CONCLUSIÓN

En la insuficiencia renal, la dieta es uno de los pilares básicos del tratamiento. En todas las etapas de la vida, una alimentación adecuada y completa es la mejor prevención contra las enfermedades crónicas, y en el caso de que la enfermedad ya esté presente, mejora el pronóstico de la enfermedad y puede retrasar su progresión.

En todo momento debemos asegurar un adecuado estado nutricional mediante una dieta completa y equilibrada, que cubra los requerimientos energéticos y proteicos, y que aporte suficientes carbohidratos, lípidos y proteínas, además de minerales y vitaminas.

En la enfermedad renal, con una correcta elección de los alimentos, prevenimos la acumulación de sustancias que serían eliminadas por la orina, si los riñones funcionaran correctamente, pero que, de no ser así, se acumulan en la sangre y pueden ocasionar múltiples complicaciones en la salud. de diferentes niveles de gravedad.

Por todo ello, es muy importante cuidar la dieta en todas las etapas de la enfermedad, adaptándola a medida que avanza la insuficiencia renal y adaptándola posteriormente a la terapia sustitutiva.

Al inicio de la enfermedad, en las diferentes fases de la ERCA (Enfermedad Renal Crónica Avanzada), a medida que disminuye la capacidad de filtrado de los riñones, es necesario extremar el cuidado de la dieta. Los límites de potasio, fósforo y sodio permitidos por día disminuirán gradualmente con la progresión de la enfermedad. Este es el caso hasta que el paciente comienza a recibir terapia sustitutiva renal (hemodiálisis, diálisis peritoneal o trasplante de riñón), momento en el que las restricciones dietéticas se vuelven algo menos severas, aunque deben seguir manteniendo ciertos límites en el aporte de micronutrientes, para que no se acumulan alcanzando niveles tóxicos en los periodos interdialíticos.

Otro factor que cambia a medida que avanza la enfermedad son los requisitos de proteínas. En pacientes prediálisis, por ejemplo, debe reducirse la ingesta de proteínas. Será necesaria la supervisión de un profesional de Nutrición para evitar un estado de desnutrición proteica, que cubre todos los requerimientos energéticos.

El libro de cocina bajo en colesterol

+50 recetas fáciles y deliciosas

Tom Álvarez

Reservados todos los derechos.

Descargo de responsabilidad

INTRODUCCIÓN

Una dieta baja en grasas reduce la cantidad de grasa que se ingiere a través de los alimentos, a veces de manera drástica. Dependiendo de cuán extremo se implemente este concepto de dieta o nutrición, se pueden consumir solo 30 gramos de grasa por día.

Con la nutrición de alimentos integrales convencional de acuerdo con la interpretación de la Sociedad Alemana de Nutrición, el valor recomendado es más del doble (aproximadamente 66 gramos o 30 a 35 por ciento de la ingesta diaria de energía). Al reducir en gran medida la grasa de la dieta, los kilos deben bajar y / o no sentarse en las caderas.

Incluso si no hay alimentos prohibidos per se con esta dieta: con salchicha de hígado, crema y papas fritas, ha alcanzado el límite diario de grasa más rápido de lo que puede decir "lejos de estar lleno". Por lo tanto, para una dieta baja en grasas, principalmente o exclusivamente alimentos con bajo contenido en grasas deben terminar en el plato, preferiblemente grasas "buenas" como las del pescado y los aceites vegetales.

¿CUÁLES SON LOS BENEFICIOS DE UNA DIETA BAJA EN GRASAS?

La grasa proporciona ácidos grasos vitales (esenciales). El cuerpo también necesita grasa para poder absorber ciertas vitaminas (A, D, E, K) de los alimentos. Por lo tanto, eliminar la grasa de su dieta por completo no sería una buena idea.

De hecho, especialmente en las naciones industrializadas ricas, cada día se consume mucha más grasa de la recomendada por los expertos. Un problema con esto es que la grasa es particularmente rica en energía: un gramo contiene 9.3 calorías y, por lo tanto, el doble que un gramo de carbohidratos o proteínas. Por tanto, una mayor ingesta de grasas favorece la obesidad. Además, se dice que demasiados ácidos grasos saturados, como los de la mantequilla, la manteca de cerdo o el chocolate, aumentan el riesgo de enfermedades cardiovasculares e incluso cáncer. Consumir dietas bajas en grasas podría prevenir ambos problemas.

ALIMENTOS BAJOS EN GRASA: TABLA PARA LAS ALTERNATIVAS MIGRAS

La mayoría de las personas deben saber que no es saludable meterse en grasas incontroladas. Las fuentes obvias de grasa, como los bordes de grasa en la carne y las salchichas o los lagos de mantequilla en la sartén, son fáciles de evitar.

Se vuelve más difícil con grasas ocultas, como las que se encuentran en pasteles o quesos. Con este último, la cantidad de grasa a veces se da como un porcentaje absoluto, a veces como "% FiTr.", Es decir, el contenido de grasa en la materia seca que surge cuando se elimina el agua de los alimentos.

Para una dieta baja en grasas hay que mirar con cuidado, porque un quark de nata con 11,4% de grasa suena más bajo en grasa que uno con 40% de FiTr. Ambos productos tienen el mismo contenido de grasa. Las listas de expertos en nutrición (p. Ej., El DGE) ayudan a integrar una dieta baja en grasas en la vida cotidiana de la forma más sencilla posible y a evitar tropiezos. Por ejemplo, aquí hay una tabla en lugar de una (alimentos ricos en grasas con alternativas bajas en grasas):

Alimentos ricos en grasas

Alternativas bajas en grasas

Manteca

Queso crema, quark de hierbas, mostaza, crema agria, pasta de tomate

Patatas fritas, patatas fritas, croquetas, tortitas de patata

Patatas asadas, patatas al horno o patatas al horno

Panceta de cerdo, salchicha, oca, pato

Ternera, venado, pavo, chuleta de cerdo, -lende, pollo, pechuga de pato sin piel

Lyoner, mortadela, salami, salchicha de hígado, morcilla, tocino

Jamón cocido / ahumado sin borde graso, salchichas bajas en grasa como jamón de salmón, pechuga de pavo, carnes asadas, salchicha aspic

Alternativas sin grasa a la salchicha o el queso o para combinar con ellas

Tomate, pepino, rodajas de rábano, lechuga en pan o incluso rodajas de plátano / rodajas finas de manzana, fresas

Palitos de pescado

Pescado al vapor con bajo contenido graso

Atún, salmón, caballa, arenque

Bacalao al vapor, carbonero, eglefino

Leche, yogur (3,5% de grasa)

Leche, yogur (1,5% de grasa)

Crema de quark (11,4% de grasa = 40% FiTr.)

Quark (5,1% de grasa = 20% de FiTr.)

Queso doble crema (31,5% de grasa)

Queso en capas (2.0% de grasa = 10% FiTr.)

Queso graso (> 15% grasa = 30% FiTr.)

Quesos bajos en grasa (máx.15% grasa = máx.30% FiTr.)

Creme fraiche (40% de grasa)

Crema agria (10% de grasa)

Mascarpone (47,5% de grasa)

Queso crema granulado (2,9% de grasa)

Pastel de frutas con masa quebrada

Pastel de frutas con levadura o masa de bizcocho

Bizcocho, bizcocho de crema, galletas con chispas de chocolate, galletas de mantequilla, chocolate, barras

Dulces bajos en grasa como pan ruso, bizcochos, frutos secos, ositos de goma, chicles de frutas, mini besos de chocolate (atención: ¡azúcar!)

Crema de turrón de nueces, rodajas de chocolate

Queso crema granulado con un poco de mermelada

Croissants

Croissants de pretzel, panecillos integrales, pasteles de levadura

Nueces, papas fritas

Palitos de sal o pretzels

Helado

Helado de frutas

Aceitunas negras (35,8% de grasa)

aceitunas verdes (13,3% de grasa)

DIETA BAJA EN GRASA: CÓMO AHORRAR GRASA EN EL HOGAR

Además de intercambiar ingredientes, hay algunos otros trucos que puede utilizar para incorporar una dieta baja en grasas a su vida diaria:

Cocer al vapor, guisar y asar a la parrilla son métodos de cocción que ahorran grasa para una dieta baja en grasas.

Cocine en el Römertopf o con ollas especiales de acero inoxidable. Los alimentos también se pueden preparar sin grasa en sartenes recubiertos o en papel de aluminio.

También puede ahorrar grasa con un rociador de bomba: agregue aproximadamente la mitad del aceite y el agua, agítelo y rocíelo en la base de los utensilios de cocina antes de freír. Si no tiene un rociador de bomba, puede engrasar los utensilios de cocina con un cepillo; esto también ahorra grasa.

Para una dieta baja en grasas en salsas de crema o guisos, reemplace la mitad de la crema con leche.

Deje que las sopas y salsas se enfríen y luego retire la grasa de la superficie.

Prepare salsas con un poco de aceite, crema agria o leche.

Los caldos de verduras y asados se pueden combinar con verduras en puré o patatas crudas ralladas para una dieta baja en grasas.

Coloque papel pergamino o papel de aluminio en la bandeja para hornear, luego no es necesario engrasar.

Simplemente agregue un pequeño trozo de mantequilla y hierbas frescas a los platos de verduras, y los ojos pronto también comerán.

Ate los platos de crema con gelatina.

DIETA BAJA EN GRASAS: ¿QUÉ TAN SALUDABLE ES REALMENTE?

Durante mucho tiempo, los expertos en nutrición han estado convencidos de que una dieta baja en grasas es la clave para una figura delgada y saludable. La mantequilla, la nata y las carnes rojas, por otro lado, se consideraban un peligro para el corazón, los valores sanguíneosy escamas. Sin embargo, cada vez más estudios sugieren que la grasa en realidad no es tan mala como parece. En contraste con un plan de nutrición reducido en grasas, los sujetos de prueba podrían, por ejemplo, seguir un menú mediterráneo con mucho aceite vegetal y pescado, estar más saludables y aun así no engordar.

Al comparar diferentes estudios sobre grasas, los investigadores estadounidenses encontraron que no había conexión entre el consumo de grasas saturadas y el riesgo de enfermedad coronaria. Tampoco hubo evidencia científica clara de que las dietas bajas en grasas prolonguen la vida. Los científicos solo clasificaron como peligrosas las denominadas grasas trans, que se producen, entre otras cosas, durante la fritura y el endurecimiento parcial de las grasas vegetales (en patatas fritas, patatas fritas, productos horneados preparados, etc.).

Aquellos que solo o principalmente comen alimentos bajos en grasa o sin grasa probablemente comen más conscientemente en general, pero corren el riesgo de consumir muy pocas "grasas buenas". También existe el riesgo de falta de vitaminas liposolubles, que nuestro cuerpo necesita para absorber las grasas.

Dieta baja en grasas: el resultado final

Una dieta baja en grasas requiere lidiar con los alimentos que se pretenden consumir. Como resultado, es probable que uno sea más consciente de comprar, cocinar y comer.

Sin embargo, para la pérdida de peso, no es principalmente de dónde provienen las calorías lo que cuenta, sino que usted ingiera menos por día de lo que usa. Más aún: las grasas (esenciales) son necesarias para la salud en general, ya que sin ellas el cuerpo no puede utilizar ciertos nutrientes y no puede llevar a cabo ciertos procesos metabólicos.

En resumen, esto significa: una dieta baja en grasas puede ser un medio eficaz para controlar el peso o para compensar la indulgencia por las grasas. No es aconsejable prescindir por completo de la grasa dietética.

APIO SCHNITZEL

Porciones: 2

INGREDIENTES

- 1 PC   Bulbo de apio
- 1 disparo   Jugo de limón para rociar
- 1 premio   sal
- 1 premio   Pimienta del molinillo
- para el empanado
- 2 cucharadas Harina
- 2 piezas   Huevos medianos
- 3 cucharadas migas de pan

PREPARACIÓN

Pelar el apio, cortarlo en rodajas de 0,5 a 1 cm de grosor, rociar con un poco de zumo de limón y sazonar con sal y pimienta.

A continuación, empanar el escalope de apio - primero voltee los trozos en harina, luego en huevo batido y finalmente en pan rallado. Presione un poco el empanado con los dedos.

Por último, calentar una sartén rebozada con aceite o mantequilla clarificada y freír el escalope de apio por ambos lados durante unos 5 minutos.

ENSALADA DE APIO CON NUECES

S

Porciones: 4

INGREDIENTES

- 1 Federación apio
- 2 piezas   Manzanas
- 1 PC   cebolla
- 50 GRAMOS Nueces picadas
- para el aderezo
- 4 cucharadas aceite de nuez
- 4 cucharadas Aceite de colza
- 4 cucharadas Vinagre balsámico
- 1 premio   sal
- 1 premio   pimienta

PREPARACIÓN

Lavar bien el apio y las manzanas y cortar ambos en trozos pequeños, aprox. 1 cm de tamaño.

Luego pela la cebolla y córtala en trozos pequeños.

Mezcle el aceite de colza, el aceite de nuez y el vinagre balsámico en un aderezo y luego agregue sal y pimienta al gusto.

Ponga las nueces, las manzanas, el apio, la cebolla y el aderezo en un bol y deje reposar la ensalada de apio. Coloque en el refrigerador durante unos 30 minutos y luego sirva.

YOGURT HECHO EN CASA

Porciones: 4

INGREDIENTES

- 1 l   Leche entera ecológica, fresca
- 150 G Yogur natural ecológico, con culturas vivas
- 4 piezas   Frascos de rosca
- 1 PC   Termómetro de líquido

PREPARACIÓN

Primero precaliente el horno a 50 ° C de temperatura superior / inferior.

Luego poner la leche entera fresca en una cacerola y calentar a 90 ° C, revolviendo constantemente, y mantener por unos 5 minutos. Asegúrese de medir la temperatura con un termómetro.

A continuación, retire la leche del fuego y déjela enfriar a 49 ° C. Mida la temperatura exacta con un termómetro.

Ahora coloque 4 frascos limpios con tapa de rosca en una fuente refractaria. Agregue el yogur natural a la leche y distribuya la mezcla de leche y yogur en los frascos con tapón de rosca.

Coloca la lata con los vasos en el horno precalentado y no la muevas si es posible. Luego apague el horno y deje reposar los frascos durante 10 horas.

Finalmente, cierre bien los frascos con una tapa y guárdelos en el frigorífico. El yogur casero sabe muy bien con frutas o compotas.

ESPAÑOLA CASERA

Porciones: 3

INGREDIENTES

- 375 G Harina
- 2 piezas   Huevos
- 1 premio   sal
- 250 ml agua

PREPARACIÓN

Para ello, tamice la harina en un bol, agregue los huevos y una buena pizca de sal y revuelva suavemente con una cuchara de madera.

Luego revuelva vigorosamente con una batidora de mano (gancho para masa), agregando el agua a sorbos hasta que la masa burbujee, esté suave y no demasiado firme.

Con una prensa spaetzle (posiblemente en porciones), vierta la masa en una cacerola ancha con agua hirviendo y déjela reposar (aproximadamente 4 - 6 minutos).

Tan pronto como salgan a la superficie, saca las spaetzle caseras del agua con una espumadera y vierte en un colador para escurrir.

SAL HERBARIA PROPIA

S

Porciones: 5

INGREDIENTES

- 1 Federación Mejorana
- 1 kilogramo   Sal marina (gruesa)
- 1 Federación perejil
- 1 Federación Romero
- 1 Federación cebollín
- 1 Federación tomillo
- 1 Federación sabio

PREPARACIÓN

Coloque el romero, el tomillo, la salvia, el cebollino, el perejil y la mejorana en una bandeja para hornear y seque en el horno a 35 ° C durante unos 30 minutos. Gírelo de vez en cuando.

Luego separe las hojas de los tallos y mezcle las hojas con la sal marina.

Ahora machaca la sal y las hierbas con un mortero y mezcla bien.

La sal de hierbas se puede usar inmediatamente para condimentar o verter en frascos limpios y secos con tapones de rosca para su almacenamiento.

TIRAS DE CERDO CON CHALLOTAS

S

Porciones: 4

INGREDIENTES

- 500 G Cerdo, magro
- 8 piezas   chalotes
- 3 cucharadas Aceite de colza
- 3 TL   Pimentón en polvo, dulce noble
- 0,5 TL polvo de curry
- 1 premio   Alcaravea molida
- 150 ml Vino blanco seco
- 400 ml Caldo de verduras
- 200 ml Tomates enlatados
- 1 PC   Hoja de laurel

- 1 TL   sal y pimienta
- 2 cucharadas crema

PREPARACIÓN

Para las tiras de cerdo, primero lave la carne de cerdo, séquela y córtela en tiras de 2-3 cm de largo. Pelar y picar finamente las chalotas y la cebolla.

A continuación, calentar el aceite en una sartén y sofreír las chalotas y las cebollas, así como el cerdo.

Ahora espolvorear con pimentón, curry y semillas de alcaravea, freír brevemente y luego desglasar con vino.

Luego vierte el caldo de verduras y el puré de tomate y agrega la hoja de laurel.

Tapar y dejar cocer el cerdo desmenuzado durante unos 30-40 minutos a fuego suave.

Cuando termine el tiempo de cocción, retire la hoja de laurel, agregue la nata y sazone con sal y pimienta.

FILETE DE CERDO CON SALSA DE PAPRIKA

Porciones: 4

INGREDIENTES

- 800 G Solomillo de cerdo
- 3 cucharadas aceite de oliva
- 1 premio   sal
- 1 premio   Pimienta del molinillo
- 12 Schb   tocino
- para la salsa
- 1 PC   cebolla
- 1 PC   diente de ajo
- 2 piezas   Pimientos rojos
- 1 PC   Pimiento, amarillo
- 120 g   Tomates enlatados
- entre romero

- entre tomillo
- 1 disparo   crema

PREPARACIÓN

Primero precaliente el horno a 180 grados (calor de arriba a abajo).

Luego, corta los pimientos por la mitad, quita el corazón, lava los pimientos por la mitad y córtalos en trozos pequeños.

Pelar y picar finamente la cebolla y el ajo. Lavar el tomillo y el romero, agitar para secar y picar finamente.

Ahora sazona el filete de cerdo con sal y pimienta, calienta el aceite de oliva en una fuente para asar, fríe la carne por todas partes y luego saca la carne de la fuente para asar.

A continuación, sofreír brevemente la cebolla y los ajos en el residuo de la fritura, añadir el romero y el tomillo y sofreír brevemente.

Luego agregue un poco más de aceite, agregue los trozos de pimiento y deje hervir a fuego lento durante aproximadamente 1 minuto mientras revuelve.

Finalmente agregue los tomates, envuelva el solomillo con las rodajas de tocino, coloque sobre las verduras y cocine tapado en el horno precalentado durante unos 10-15 minutos.

GUISADO DE SALSIFY NEGRO

Porciones: 2

INGREDIENTES

- 2 cucharadas Vinagre, para el agua con vinagre
- 1 cucharada   Eneldo picado
- para el guiso
- 1 premio   sal
- 1 premio   Pimienta negra recién molida
- 500 G Salsifí
- 300 G Patatas cerosas
- 8 piezas   Zanahorias
- 2 cucharadas Aceite vegetal
- 700 ml Caldo de verduras
- 100 GRAMOS Guisantes, jóvenes, congelados
- 1 premio   Alcaravea molida
- por el deposito
- 2 piezas   Chalotes pequeños

- 200 g Carne picada de ternera
- 0,5 TL Alcaravea molida
- 1 premio   sal
- 1 premio   Pimienta negra recién molida

PREPARACIÓN

Ponga un poco de vinagre en un bol y llénelo de agua.

Cepille, lave y pele el salsifí con agua fría. Luego cortar en trozos de unos 2 cm de tamaño y colocar inmediatamente en el agua con vinagre.

Luego pela, lava y corta las zanahorias en dados. Pelar y lavar las patatas y también cortarlas en cubos pequeños.

Para la guarnición, pelar las chalotas y picar finamente. Luego mezcle en un bol con la carne picada, las semillas de alcaravea, la sal y la pimienta y forme pequeñas albóndigas.

Ahora escurre el salsifí. Calentar el aceite en una cacerola y añadir el salsifí negro con las patatas y las zanahorias picadas. Cocine todo al vapor mientras revuelve durante unos 3-4 minutos y desglasar con el caldo.

Tape y cocine el guiso de salsifí negro a fuego medio durante unos 10 minutos. Luego agregue los guisantes y las albóndigas y deje que todo hierva a fuego lento durante otros 15 minutos.

Condimente el guiso con sal, pimienta y semillas de alcaravea y vierta en tazones de sopa precalentados. Esparcir el eneldo picado encima y servir inmediatamente.

ENSALADA RÁPIDA DE ZANAHORIA

S

Porciones: 2

INGREDIENTES

- 6 piezas   Zanahorias orgánicas
- 3 piezas   Naranjas orgánicas
- 2 cucharadas petróleo
- 1 premio   Azúcar de abedul / xilitol

PREPARACIÓN

Primero lava las zanahorias, corta el tallo y ralla los trozos de zanahoria con un rallador.

Luego corta las naranjas por la mitad y exprímelas.

Ahora ponga la zanahoria rallada, el jugo de naranja, el aceite y el azúcar de abedul en un bol y revuelva bien: la ensalada rápida de zanahoria está lista.

PORRIDGE DE AVENA RÁPIDA CON PULPA DE MANZANA

Porciones: 4

INGREDIENTES

- 200 ml Leche de avena (bebida de avena)
- 20 G   Avena tierna
- 2 cucharadas Pulpa de manzana ecológica

PREPARACIÓN

Para comenzar, tome una cacerola pequeña, agregue la leche de avena, lleve a fuego lento a fuego medio, retire del fuego y luego agregue la avena.

Luego, deje reposar todo durante unos 5 minutos, agregue la pulpa de manzana y luego sirva la papilla de leche de avena terminada con pulpa de manzana cuando se enfríe.

SOPA DE LENTEJAS RÁPIDA

S

Porciones: 2

INGREDIENTES

- 1 Federación Verduras para sopa
- 150 G Lentes rojas
- 1 cucharada aceite de oliva
- 1 cucharada Caldo de verduras instantáneo
- 2 piezas vienés
- 1 disparo Vinagre de sidra de manzana
- 1 premio sal
- 1 premio pimienta

PREPARACIÓN

Primero limpie las verduras para sopa y córtelas en cubos pequeños.

Luego tueste brevemente en aceite de oliva.

Cuando las verduras estén ligeramente doradas, desglasar con el agua.

Ahora agrega las lentejas rojas y lleva todo a ebullición.

Ahora agregue el caldo de verduras instantáneo.

Luego déjelo hervir a fuego lento durante unos 10 minutos.

Ahora agregue las rebanadas salchichas salchichas a la sopa y déjelas reposar durante otros 5 minutos.

A continuación, agregue la sal y la pimienta y redondee el sabor de la sopa con el vinagre de sidra de manzana.

SALSA DE JAMÓN Y SETAS

S

Porciones: 3

INGREDIENTES

- 1 taza champiñón
- 3 Bl   jamón
- 200 ml crema
- 1 PC   cebolla
- 1 premio   sal
- 1 cucharada   Perejil (picado)
- 1 cucharada   petróleo
- 1 premio   pimienta

PREPARACIÓN

Pelar la cebolla y cortarla en cubos pequeños. Picar finamente los champiñones y el jamón en dados.

Freír todo junto en una sartén con aceite. Agrega Rama Cremefine y un chorrito de agua.

Sazone al gusto con sal y pimienta. Finalmente añadir el perejil picado y dejar hervir hasta que se forme una salsa espesa.

EGLEFINO

S

Porciones: 4

INGREDIENTES

- 600 G Filetes de eglefino
- 1 PC   cebolla
- 3 piezas   Dientes de ajo
- 125 ml vino blanco
- 250 g Hongos
- 1 Federación Perejil picado
- 1 premio   sal
- 1 premio   pimienta
- 1 disparo   petróleo

PREPARACIÓN

Primero limpia los champiñones y córtalos en rodajas. Pelar y picar finamente la cebolla y los dientes de ajo.

Cortar el pescado en trozos más grandes, calentar el aceite en una sartén y freír los trozos de pescado brevemente por ambos lados.

Luego vierta el vino blanco, agregue los champiñones, la cebolla y el ajo y cubra y deje hervir a fuego lento durante unos 20 minutos.

Luego sazone el eglefino con sal y pimienta y déjelo reposar nuevamente durante 5 minutos.

PATATAS DEL TESORO

S

Porciones: 4

INGREDIENTES

- 8 piezas   Patatas, genial
- 200 g Col de col rizada
- 200 g Zanahorias
- 125 G Queso Mozzarella
- 1 premio   sal
- 1 premio   Pimienta blanca
- 0,25 litros   Caldo de verduras
- 50 GRAMOS Mantequilla de hierbas
- 1 Federación Mejorana, fresca
- 1 cucharada   aceite de oliva
- 100 GRAMOS Dados de jamón crudo

PREPARACIÓN

Primero, pele las papas, lávelas, déjelas hervir en agua con sal y cocine durante unos 12 minutos; las papas aún no deben estar completamente blandas. Luego escurre las patatas y déjalas enfriar.

Ahora retire las hojas exteriores del repollo de Saboya, corte el repollo por la mitad y corte el tallo. Enjuague la col rizada y córtela en cubos finos.

Pelar, lavar y cortar las zanahorias en dados. También corta la mozzarella en cubos finos.

A continuación, el repollo y las zanahorias separados brevemente en agua con sal se blanquean, luego se colocan en un colador y se escurren.

Ahora ahueca con cuidado las patatas enfriadas con un cortador de bolas o una cuchara y colócalas una al lado de la otra en una fuente de horno grande.

A continuación, pique el interior de las patatas y mézclalas con la col rizada, las zanahorias y la mozzarella, luego sazone con sal y pimienta y rellene con las patatas ahuecadas.

Ahora vierta el caldo de verduras en la fuente para hornear, extienda la mantequilla de hierbas en hojuelas sobre las papas y coloque la fuente para hornear a 180 grados de temperatura superior / inferior en el medio del horno y hornee durante 20 a 30 minutos.

Mientras tanto, enjuague la mejorana, seque, saque las hojas de los tallos y córtelas en trozos pequeños. Las freímos en la sartén con el jamón cortado en dados y el aceite y luego las distribuimos sobre las patatas cocidas.

VERDURAS CALIENTES

S

Porciones: 4

INGREDIENTES

- 3 piezas   Zanahorias
- 250 g brócoli
- 1 Federación Cebollas de primavera
- 2 piezas   Dientes de ajo
- 30 G   jengibre
- 1 PC   Ají rojo
- 5 Schb   Piña (lata)
- 150 ml Jugo de piña
- 100 ml Caldo de verduras (instantáneo)
- 1 cucharada   Chutney de mango
- 2 cucharadas Vinagre de arroz
- 2 cucharadas Azúcar moreno

- 1 cucharada   semillas de sésamo
- 1 TL   sal

PREPARACIÓN

Primero tueste las semillas de sésamo en una sartén antiadherente durante unos minutos, revolviendo constantemente. Luego deja que las semillas se enfríen.

Picar el brócoli en floretes pequeños, lavar con cuidado y escurrir en un colador. Luego raspa y pellizca las zanahorias.

A continuación, lava el jengibre y córtalo en trozos pequeños. Ahora pele los dientes de ajo y píquelos finamente. Limpiar, lavar y cortar las cebolletas en aros. Cortar la guindilla a lo largo, quitar las semillas, lavar y cortar en cubos pequeños.

Ahora vierte la piña de la lata por un colador, recogiendo el jugo en un bol o en un vaso grande y cortando la pulpa en trozos pequeños.

Luego calentar el aceite en un wok y sofreír el brócoli y las zanahorias durante 2 minutos.

A continuación, añadir el jengibre, el ajo, la guindilla y los trozos de cebolleta y sofreír durante 1 minuto.

Luego mezcla la salsa picante de mango con el jugo de piña y el caldo. Luego vierte la mezcla junto con el vinagre de arroz, agrega el azúcar moreno y la sal y lleva a ebullición una vez.

Finalmente, espolvorear las semillas de sésamo tostadas sobre las verduras calientes al gusto y servir.

GUISADO DE CALABAZA AFILADO

S

Porciones: 4

INGREDIENTES

- 2 piezas   Cebollas medianas
- 400 G Zanahorias
- 500 G Patatas, principalmente cerosas
- 800 G calabaza
- 2 etapas   Puerros, pequeños
- 5 cucharadas petróleo
- 1 l   Caldo de verduras instantáneo
- 40 G   Cacahuetes sin sal
- 0.5 Federación   cebollín
- 1 PC   Ají, rojo, pequeño
- 1 PC   Ají verde
- 1 premio   sal

- 1 premio   pimienta de cayena
- 1 premio   azúcar
- 1 msp Pimentón en polvo, dulce noble
- 1 cucharada Granos de pimienta negros

PREPARACIÓN

Primero pele las cebollas y córtelas en cubos finos. A continuación, pelar, lavar y cortar las patatas en dados. Cortar ligeramente las zanahorias en la parte superior de las verduras y las raíces en la parte inferior, pelar si es necesario, de lo contrario lavar y cortar en rodajas finas.

Ahora retire los extremos de la raíz del puerro y corte el puerro verde oscuro, luego córtelo en anillos finos. A continuación, pele la calabaza, córtela a lo largo y quítele las semillas con una cuchara (el Hokkaido no tiene por qué pelarse necesariamente). Luego córtelo en cubos del tamaño de un bocado.

A continuación, calentar el aceite en una cacerola, sofreír brevemente el puerro, la cebolla y la zanahoria, añadir las patatas, desglasar con el caldo y tapar con una tapa y dejar hervir a fuego moderado durante unos 20 minutos.

A continuación, ase los cacahuetes en una sartén seca hasta que estén dorados. Lavar, secar y cortar el cebollino en finos rollos y los chiles en finos aros.

Finalmente, sazone el guiso picante de calabaza con sal, pimienta de cayena, azúcar y pimentón, luego agregue la guindilla. Sirva espolvoreado con maní, cebollino y pimienta negra en grano.

CHALOTAS CON VINO TINTO Y SETAS

Porciones: 4

INGREDIENTES

- 20 piezas   Chalotes pequeños
- 130 G Egerlinge, pequeño
- 130 G Hongos shiitake, pequeños
- 30 G   manteca
- 130 ml Sopa de carne
- 130 ml Vino tinto fuerte
- 2 entre   tomillo
- 1 premio   sal
- 1 premio   Pimienta recién molida

PREPARACIÓN

Primero pele las chalotas y limpie en seco las setas. También corte los tallos de los hongos shiitake.

Ahora derrita la mantequilla en una sartén, fría las chalotas y los champiñones durante unos 5 minutos, revolviendo con frecuencia.

Luego vierte el vino tinto y el caldo de carne, lava las ramitas de tomillo, agrega a la sartén y cocina a fuego moderado sin tapa durante unos 20 minutos.

Por último, condimentar las chalotas con vino tinto y las setas con sal y pimienta (al gusto).

ENSALADA DE SAUERKRAUT

S

Porciones: 4

INGREDIENTES

- 500 G Chucrut
- 1 PC Zanahorias
- 1 PC manzana
- 1 PC cebolla
- 3 cucharadas petróleo
- 1 premio pimienta
- 1 premio Alcaravea molida

PREPARACIÓN

Ponga el chucrut en un bol y vierta un poco de jugo si es necesario.

Luego pele y ralle la zanahoria y la manzana. Pelar y picar la cebolla.

Mezcle las verduras preparadas con el aceite en el chucrut. Finalmente sazone con pimienta y semillas de alcaravea y deje reposar durante 15 minutos.

SALSA

S

Porciones: 4

INGREDIENTES

- 5 piezas   Tomates
- 2 piezas   Chiles
- 1 PC   cebolla
- 2 cucharadas Jugo de limon
- 1 premio   sal
- 1 premio   pimienta
- 1 cucharada   vinagre

PREPARACIÓN

Lave los tomates y los chiles y córtelos en cubos pequeños.
Luego pela y pica finamente la cebolla.

Mezcle todos los ingredientes preparados, agregue el vinagre y el jugo de limón y sazone con sal y pimienta.

Haga un puré grueso con una batidora de mano y déjelo reposar en el refrigerador durante al menos 2 horas.

ENSALADA DE FRIJOLES BLANCOS

S

Porciones: 2

INGREDIENTES

- 2 piezas   pimenton
- 2 piezas   Tomates
- 1 PC   Cebolleta
- 1 lata Frijoles blancos
- 1 TL   Perejil seco
- 1 TL   Jugo de limon
- 3 cucharadas aceite de oliva
- 1 cucharada Vinagre de sidra de manzana
- 0,25 TL   sal
- 0,25 TL   pimienta

PREPARACIÓN

Primero lava los tomates, córtalos en cubos pequeños y colócalos en una ensaladera, y haz lo mismo con los pimientos. Luego lava las cebolletas, córtalas en diagonal en aros estrechos y agrégalas.

Ahora vierta los frijoles enlatados por un colador y enjuague con agua debajo del grifo hasta que no se forme más espuma. Luego agregue los frijoles blancos a las verduras en el tazón.

Finalmente agregue aceite, vinagre, jugo de limón, perejil, sal y pimienta. ¡Ahora mezcla bien la ensalada con frijoles blancos y disfruta!

SOPA DE ROCKET CON LECHE DE COCO

Porciones: 4

INGREDIENTES

- 150 G Rúcula
- 2 piezas   chalotes
- 2 piezas   Dientes de ajo
- 20 G   manteca
- 0,5 piezas   Ají rojo
- 1 PC   Jengibre, fresco, 3 cm
- 600 ml Caldo de verduras
- 400 ml Leche de coco, sin azúcar, de lata
- 2 cucharadas Jugo de lima
- 1 premio   sal
- 2 cucharadas Hojas de cilantro picadas

para el aderezo

- 150 G Carne de cangrejo del Mar del Norte
- 1 cucharada Hojas de cilantro

PREPARACIÓN

Primero pela las chalotas, el ajo y el jengibre y córtalos en trozos finos.

Luego descorazona la guindilla, lava la vaina y luego córtala en cubos finos. Clasificar la rúcula, lavar y escurrir bien.

Ahora caliente la mantequilla en una cacerola y rehogue las chalotas, el ajo, el jengibre y los cubitos de guindilla durante unos 3-4 minutos.

Agregue la rúcula y revuelva. Luego vierta el caldo y la leche de coco, agregue el jugo de lima y cocine a fuego medio durante unos 10 minutos.

Mientras tanto, enjuague los cangrejos brevemente con agua fría y déjelos escurrir.

La sopa de rúcula con leche de coco del fuego caliente, sazone con sal y el cilantro picado y haga puré la sopa con una batidora de mano.

Luego vierte la sopa en platos hondos precalentados, esparce los camarones por encima, espolvorea con unas hojas de cilantro y sirve inmediatamente.

PIMIENTA PUNTA ROJA

S

Porciones: 4

INGREDIENTES

- 3 piezas   diente de ajo
- 3 piezas   Pimienta puntiaguda, roja
- 1 premio   sal
- 1 premio   pimienta
- 4 cucharadas Crema agria o crème fraîche
- 200 g queso crema
- 1 PC   cebolla

PREPARACIÓN

Lavar los pimientos, quitarles los tallos y las semillas y cortarlos en dados muy pequeños.

Luego pelamos la cebolla y la cortamos también en cubos muy pequeños.

Pela también los dientes de ajo.

Ahora mezcle bien el queso crema, los trozos de cebolla, el pimentón y la crema agria en un bol.

Finalmente, presione los dientes de ajo en la masa con la prensa y sazone el pimiento rojo puntiagudo untado con sal y pimienta.

SOPA DE REMOLACHA ROJA

S

Porciones: 4

INGREDIENTES

- 3 Kn   Remolacha, pequeña
- 3 entre   estragón
- 2 piezas   Cebollas
- 6 piezas   Patatas
- 8 piezas   Hongos
- 2 piezas   Anís estrellado
- 8 piezas   bayas de enebro
- 1 premio   sal
- 1 premio   pimienta
- 1 l   agua
- 0.5 Federación   Perejil, para decorar
- 4 cucharadas Yogur crema

PREPARACIÓN

Pelar la remolacha fresca (usar guantes), cortar en cubos y llevar a ebullición en una cacerola con un poco de agua.

Mientras tanto, lave el estragón, sacúdalo para secarlo y retírelo.

Pelar las cebollas y las patatas. Cortar las cebollas en aros y las patatas en gajos.

Luego lave bien los champiñones frescos y córtelos en cuartos.

Luego poner todo junto con el anís estrellado y las bayas de enebro en la cacerola, sazonar con sal y pimienta y dejar hervir a fuego lento durante unos 25 minutos.

Luego, haga un puré fino de la sopa con una batidora de mano y agregue un poco de yogur de crema.

Finalmente, sazone nuevamente la sopa con sal y pimienta y vierta el estragón y el perejil como aderezo sobre la sopa de remolacha.

SOPA DE REMOLACHA ROJA

S

Porciones: 4

INGREDIENTES

- 500 G Raíz de remolacha
- 2 piezas   Zanahorias
- 1,5 l   Caldo de verduras
- 2 cucharadas vinagre
- 1 Federación perejil
- 1 premio   sal
- 1 premio   azúcar
- 1 premio   Pimienta negra del molino
- 1 disparo   aceite de oliva

PREPARACIÓN

Pelar y rallar las zanahorias y la remolacha. Dado que la remolacha se desprende con fuerza, use guantes de cocina.

Luego en una olla el caldo de verduras a hervir y agregue las verduras preparadas y cocine a fuego lento durante unos 20 minutos.

Mientras tanto, lave el perejil, sacúdalo para secarlo y píquelo finamente.

Ahora sazone la sopa con vinagre, aceite de oliva, sal, pimienta y azúcar y agregue el perejil.

ENSALADA DE HINOJO CRUDO

S

Porciones: 4

INGREDIENTES

- 4 nudos   hinojo
- 1 PC   Limones, jugo

para el aderezo

- 1 Bch   yogur
- 1 cucharada   petróleo
- 1 premio   sal
- 1 premio   azúcar

PREPARACIÓN

Limpiar el hinojo, quitar los tallos exteriores duros, cortar por la mitad, lavar bien y luego cortar en tiras finas.

Luego rocíe con jugo de limón y déjelo reposar un poco.

Mientras tanto, remover un aderezo de aceite, yogur, sal y azúcar y verter sobre las tiras de hinojo.

Mezclar bien la ensalada de hinojo crudo y refrigerar hasta que esté listo para servir.

LENGUA DE CARNE CON SALSA DE VINO TINTO

Porciones: 4

INGREDIENTES

- 1 PC   Lengua de ternera curada
- 1 PC   cebolla
- 2 piezas   Zanahorias
- 200 g Bulbo de apio
- 1 etapa   Puerro
- 1 PC   Hoja de laurel
- 5 piezas   bayas de enebro
- 5 piezas   Granos de pimienta
- 500 ml Sopa de carne

para la salsa de vino tinto

- 1 premio   sal

- 1 premio   pimienta
- 60 G   manteca
- 2 cucharadas Harina
- 600 ml Caldo de lengua
- 200 ml vino tinto
- 100 magnesio Queso crema fresca
- 1 premio   Pimentón en polvo, picante como una rosa

PREPARACIÓN

Preparación de lengua de ternera:

Primero poner la lengua de ternera curada junto con el caldo de carne, la hoja de laurel, las bayas de enebro y los granos de pimienta en un cazo, llevar a ebullición, luego reducir el fuego y dejar hervir a fuego lento durante 2 horas.

Pelar y picar la cebolla. Limpiar las zanahorias y cortarlas en rodajas. Pelar el apio y cortarlo en palitos. Cortar el extremo de la raíz y las hojas verde oscuro del puerro, cortar el resto en rodajas y lavar. Después de 2 horas de cocción, agregue las verduras al caldo en la lengua y cocine a fuego lento durante una hora más.

Luego saque la lengua del caldo, enjuague con agua fría, retire la piel y envuélvala inmediatamente en una película adhesiva para que no se seque.

Vierta el caldo a través de un colador y recoja el líquido en una cacerola. Lleve esto a ebullición y reduzca a aproximadamente 2/3.

Preparación de la salsa de vino tinto:

Ponga la mantequilla en una cacerola pequeña, derrita, luego agregue la harina y revuelva con el batidor. Ahora desglasar con el vino tinto y el caldo de lengua hervido, revolviendo constantemente para que no se apelmace.

Finalmente, sazone la salsa con pimentón, sal y pimienta. Agregue la crème fraîche para crear una salsa cremosa.

LANGOSTINOS CON ALBAHACA

S

Porciones: 4

INGREDIENTES

- 26 piezas   Langostinos frescos con cabeza
- 3 piezas   Zanahorias
- 1 etapa   Puerro
- 1 l   Caldo de verduras

para la salsa

- 150 G Mascarpone
- 2 TL   Brandy de enebro
- 0.5 Federación   albahaca
- 1 TL   sal
- 0,5 TL pimienta

PREPARACIÓN

Para los langostinos con albahaca, primero lave los langostinos con agua fría, séquelos con papel de cocina, retire la cola y la cabeza con un movimiento giratorio, presione la cáscara hasta que se rompa y retire con cuidado la cáscara de la carne.

Ahora corte con cuidado en la parte posterior de las colas de los camarones con un cuchillo afilado hasta que se pueda ver el intestino negro (que parece un hilo). Retírelo con cuidado con los dedos o con un cuchillo.

Luego lava las colas de camarón nuevamente con agua fría y sécalas con papel de cocina.

Limpiar las zanahorias y cortarlas en trozos finos. Limpiar el puerro, cortarlo en aros y lavar.

Calentar el caldo de verduras en una cacerola y dejar reposar las zanahorias y los puerros durante 10 minutos. Cuece las colas de langostino preparadas en el caldo durante 8 minutos.

Mientras tanto para la salsa, calentar un poco el mascarpone en una cacerola, agregar el aguardiente de enebro y dejar que hierva un poco.

Lavar la albahaca, secar con agitación, arrancar las hojas y cortar en tiras.

Ahora agregue las tiras de albahaca a la salsa y sazone con sal y pimienta.

Por último, sacar las gambas del caldo, secarlas con papel de cocina y disponer en platos con la salsa.

LANGOSTINOS AL CURRY MARINADA

Porciones: 4

INGREDIENTES

- 700 G Langostinos sin cáscara, listos para cocinar
- 1 PC   Jugo de lima
- 1 TL   Polvo de ajo
- 3 cucharadas Pasta de curry, roja
- 1 msp Cilantro, molido

PREPARACIÓN

Para la marinada, exprima el jugo de lima y mezcle el jugo de lima, el cilantro, el ajo en polvo y la pasta de curry en un tazón grande.

Lavar las gambas, hacer un corte en la espalda con un cuchillo afilado para abrirlas y sacarlas de la cáscara.

A continuación, ponga las gambas en la marinada y déjelas reposar en el frigorífico durante al menos 30 minutos. Remoje las brochetas de madera en agua.

Luego coloque las gambas en las brochetas de madera remojadas y cocine a la parrilla durante 5 minutos por ambos lados, hasta que las gambas en un adobo de curry se hayan puesto rosadas y estén bien cocidas.

COMPOTA DE RUIBARBO

S

Porciones: 4

INGREDIENTES

- 600 G ruibarbo
- 150 G azúcar
- 8 cm Cáscara de limón, sin tratar
- 1 PC Rama de canela (aprox.5 cm)

PREPARACIÓN

Primero retire completamente la piel fibrosa de los tallos de ruibarbo, luego corte en trozos de 3-4 cm.

Luego ponga los trozos de ruibarbo en un bol, espolvoree con azúcar y deje reposar hasta por 3 horas, revolviendo ocasionalmente.

A continuación, ponga los trozos de ruibarbo en una cacerola con la piel de limón y la ramita de canela y cocine en su propio jugo a fuego lento. Si es necesario, agregue 1-2 cucharadas de agua. En unos 8 minutos (dependiendo del grosor de las piezas) el ruibarbo debe estar atravesado, pero no demasiado blando.

Finalmente, vierte la compota de ruibarbo en tazones de postre y enfría, quitando la piel de limón y la ramita de canela. Al servir, agregue un poco de azúcar para eventualmente endulzar.

ENSALADA DE RÁBANOS

S

Porciones: 4

INGREDIENTES

- 2 piezas   Rábano, blanco, fresco
- 4 cucharadas Yogur natural
- 3 cucharadas Crema batida
- 1 premio   sal

PREPARACIÓN

Primero lavar bien los rábanos blancos, pelarlos y rallarlos o cortarlos en rodajas en un bol.

A continuación, mezcle el yogur, la nata y la sal para el aderezo y marine con él la ensalada de rábanos.

ARROZ DE LA VAPORIZADORA

S

Porciones: 6

INGREDIENTES

- 500 G Arroz de grano largo
- 1 TL   sal
- 750 ml agua

PREPARACIÓN

Para el arroz y el agua, generalmente se asume la proporción de 1 a 1,5 en la olla a vapor. Entonces hay 1 1/2 tazas de agua por cada taza de arroz.

Vierta el agua en la vaporera y vierta el arroz en un recipiente sin perforar de la vaporera y agregue un chorrito de agua.

Luego agregue sal, revuelva bien, ajuste la vaporera a 100 grados y cocine el arroz durante unos 20-25 minutos.

Sirve el arroz de la vaporera con cualquier otro plato.

Consejos sobre la receta

Genial con él besugo con verduras o simplemente verduras al vapor para aprovechar al máximo la olla a vapor y preparar una comida ligera y saludable.

Con esta forma de preparación, todos los ingredientes contenidos en el arroz, incluidas algunas vitaminas sensibles, se conservan en su forma original. Además, el arroz cocido al vapor es mucho más sabroso y no tan escurrido como en el caso de la cocción convencional.

La información anterior es para las variedades de arroz especificadas. Con arroz aromático basmati o tailandés, se tarda un poco más, 20 minutos de tiempo de cocción deberían ser suficientes. Con una pizca de vinagre de arroz y un poco de azúcar, también puedes preparar el arroz de sushi perfecto en 20 minutos de tiempo de cocción.

RATATOUILLE DEL VAPOR

Porciones: 2

INGREDIENTES

- 1 premio   pimienta
- 2 piezas   Tomates
- 300 G calabacín
- 1 PC   cebolla
- 1 PC   Pimiento rojo
- 1 premio   sal
- 1 PC   diente de ajo
- 1 Federación orégano
- 100 ml Caldo de verduras
- 2 cucharadas Pesto Rosso
- 1 PC   berenjena

PREPARACIÓN

Para un ratatouille de la vaporera, primero lave los pimientos, retírelos del corazón y corte las vainas en trozos de dos centímetros.

Lavar el calabacín y la berenjena, cortar en cuartos a lo largo y cortar en trozos de unos dos centímetros de grosor.

Pelar y picar la cebolla.

Pelar el ajo y picarlo en rodajas finas.

Arranca las hojas de orégano de los tallos, lava, agita para secar y pica.

Coloque las verduras en una vaporera no perforada y mezcle el ajo, el orégano, la sal y la pimienta.

Ahora cocine todo a 100 ° C durante unos 10 minutos y luego sazone nuevamente con sal y pimienta.

Mientras tanto, corte los tomates en forma transversal, póngalos brevemente en agua hirviendo, luego enfríe en agua fría, pele, corte en cuartos y descorazone.

Ahora mezcle cuidadosamente los trozos de tomate con las verduras restantes y continúe cocinando al vapor durante otros tres o cuatro minutos.

Por último, llevar a ebullición el caldo de verduras, incorporar el pesto rosso y verter el caldo sobre las verduras.

SOPA DE RÁBANOS CON MENTA

S

Porciones: 4

INGREDIENTES

- 600 G Patatas
- 1 premio   sal
- 1 premio   pimienta
- 400 G rábano
- 1 Federación Cebollas de primavera
- 1 cucharada   Caldo de verduras
- 25 G   Hojas de menta
- 100 GRAMOS Crema batida

PREPARACIÓN

Lavar las patatas, pelarlas, cortarlas en trozos pequeños y cocerlas junto con el caldo de verduras en 800 ml de agua con sal durante unos 15 minutos.

Mientras tanto, lave los rábanos y las cebolletas y córtelos en rodajas. Aparte unos 2 rábanos, que luego servirán como decoración para la sopa.

Ahora agregue las rebanadas rábanos, las hojas de rábano lavadas, las hojas de menta lavadas y las cebolletas a las patatas hirviendo. Déjelo hervir a fuego lento durante otros 10 minutos.

A continuación, haga puré todo el contenido de la olla con un palo, agregue la crema y sazone con sal y pimienta.

Ahora corta los rábanos en rodajas y corta las cebolletas lavadas en rollos. Adorne la sopa de rábanos con los dos ingredientes.

PORRIDGE DE QUINOA

S

Porciones: 4

INGREDIENTES

- 1 PC   Vaina de vainilla
- 220 G Quinua
- 270 ml Leche de almendras
- 220 ml agua
- 1 TL   Canela molida
- 3 cucharadas Azúcar moreno
- 1 premio   sal
- 120 g Arándanos, para decorar
- 1 PC   Melocotón, para decorar

PREPARACIÓN

Para la papilla de quinua, primero corte la vaina de vainilla a lo largo y raspe la pulpa de vainilla.

A continuación, mezcla la pulpa con la vaina de vainilla, la quinua, la leche de almendras, el agua, la canela, el azúcar y un poco de sal en una cacerola, lleva a ebullición con la tapa cerrada y cocina a fuego lento durante unos 20 minutos. Cocine hasta que la quinua haya absorbido todo el líquido.

Mientras tanto, lave y clasifique los arándanos. Lavar, quitar el corazón y cortar en rodajas finas el melocotón.

Por último, poner la papilla (sin la vaina de vainilla) en tazones pequeños de postre y decorar con la fruta (y posiblemente una hoja de menta).

QUINUA **ESTOFADO**

S

Porciones: 4

INGREDIENTES

- 80 G Cebollas
- 250 g Patatas
- 150 G Zanahorias
- 200 g calabacín
- 200 g Tomates
- 100 GRAMOS judías verdes
- 150 G Colinabo
- 60 G Apio
- 1 cucharada aceite de oliva
- 100 GRAMOS Quinua
- 850 ml caldo de verduras
- 1 cucharada albahaca

- 1 TL   tomillo
- 1 TL   Romero
- 1,5 cucharadas de sal
- 1 cucharada   pimienta

PREPARACIÓN

Pelar las cebollas y cortarlas en cubos finos. Pelar y lavar las patatas y las zanahorias y también cortarlas en cubos.

Quitar las raíces y los tallos del calabacín, lavar y cortar en trozos.

Escaldar los tomates brevemente con agua caliente, luego enjuagar con agua fría, pelar la piel y también cortar los tomates en cubos.

A continuación, corte los dos extremos de los frijoles, pele los hilos con un cuchillo afilado, luego lave los frijoles y córtelos en trozos de unos 3 cm de largo. Luego pelar el colinabo, lavarlo y cortarlo en cubos.

Lavar el apio, quitar los hilos con un cuchillo afilado y cortar el apio en rodajas.

A continuación, calentar el aceite de oliva en una cacerola y dorar brevemente los dados de cebolla y las verduras (patatas, zanahorias, calabacines, tomates, frijoles, colinabo y apio).

Ahora agregue la quinua, mezcle todo, vierta el caldo de verduras, sazone con sal y pimienta, hierva y cocine a fuego lento durante 15-20 minutos a baja temperatura.

Mientras tanto, lavar el tomillo, el romero y la albahaca, agitar para secar y picar en trozos finos.

Finalmente, refina el guiso de Qunoa con las hierbas, sazona con sal y pimienta y sirve.

QUESO CURD

S

Porciones: 4

INGREDIENTES

- 2 piezas   diente de ajo
- 1 TL   Carvi
- 1 msp   Pimentón en polvo, dulce noble
- 1 premio   sal
- 1 premio   pimienta
- 125 G Crema agria
- 2 cucharadas mostaza
- 250 g Cuarc
- 1 PC   cebolla

PREPARACIÓN

Pelar y picar la cebolla y el ajo.

Ahora en un bol revuelva los ingredientes preparados con quark, mostaza, crema agria, semillas de alcaravea y pimentón en polvo hasta obtener una masa cremosa.

Finalmente, sazone el queso quark con sal y pimienta y déjelo reposar durante 30 minutos en el frigorífico.

QUARK CON SALSA DE PASION

Porciones: 1

INGREDIENTES

- 125 G quark bajo en grasa
- 1 TL   Jarabe de agave
- 1 PC   Maracuyá
- 1 TL   almidón alimenticio
- 1 PC   naranja
- 1 cucharada   Miel, liquida
- 50 ml Crema batida

PREPARACIÓN

Primero mezcle el quark con el sirope de agave y refrigere durante 10 minutos.

Mientras tanto, corta la fruta de la pasión por la mitad, quita la pulpa y mézclala con la maicena en un bol.

Ahora exprime la naranja y agrega el jugo junto con la miel de la mezcla de maracuyá.

Luego calentar la salsa de maracuyá en un cazo a fuego lento durante 5 minutos y dejar enfriar.

Montar la nata montada muy firme y verterla en un saco de relleno de piel.

Por último, poner el quark en un vaso de postre, verter sobre él la salsa de maracuyá, aderezar pequeños toques con la nata montada y servir.

DIP DE QUESO COTTAGE CON CRESS

Porciones: 4

INGREDIENTES

- 1 PC   cebolla
- 1 Federación berro
- 200 g Cuarc
- 4 cucharadas Crema batida
- 1 TL   petróleo
- 1 premio   azúcar
- 1 premio   Pimienta blanca

PREPARACIÓN

Primero pela y pica finamente la cebolla.

A continuación, mezcla la nata con el quark.

Ahora mezcla las cebollas con el azúcar, la sal y un poco de aceite en la mezcla de cuajada.

Luego lavar el berro, secarlo, picarlo finamente y mezclarlo con el quark.

Por último, condimentar el dip de quark con berros con pimienta y servir.

DIP DE QUARK PARA PATATAS

S

Porciones: 4

INGREDIENTES

- 250 g quark bajo en grasa
- 1 PC   diente de ajo
- 2 cucharadas Agua mineral
- 4 cucharadas Hierbas, mezcladas, recién picadas
- 2 TL   Jugo de limon
- 1 entre   perejil
- 1 premio   Pimienta blanca
- 1 premio   sal

PREPARACIÓN

Primero mezcle el quark con el agua mineral.

Pelar y picar el ajo, luego agregar las hierbas (opcionalmente perejil, eneldo, perifollo) al quark.

Luego sazone la salsa de queso quark para papas con sal y pimienta y sazone cuidadosamente con jugo de limón.

Antes de servir, decore la salsa con hojas de perejil lavadas y arrancadas.

SCHNITZEL DE TURQUÍA CON ARROZ

Porciones: 4

INGREDIENTES

- 4 piezas   Escalope de pavo
- 1 premio   sal
- 1 premio   polvo de curry
- 2 cucharadas petróleo
- 1 premio   pimienta

para el arroz

- 1 premio   sal
- 1 taza arroz
- 2 tazas   agua

PREPARACIÓN

Para el escalope de pavo con arroz, primero prepare el arroz. Para ello, llevar a ebullición el arroz con el agua y una pizca de sal en un cazo, reducir el fuego y cocinar unos 15-20 minutos.

Mientras tanto, lave bien el escalope de pavo, séquelo con papel de cocina y sazone con sal, pimienta y curry.

A continuación, calentar el aceite en una sartén y freír el escalope durante unos 5 minutos por cada lado.

Sirve el escalope de pavo con el arroz y vierte el caldo de carne encima, si quieres.

ROLLO DE PAVO ASADO

S

Porciones: 6

INGREDIENTES

- 200 g Ciruelas pasas
- 1,2 kilogramos   Pechuga de pavo, asada en rollo
- 1 TL   sal
- 0,5 TL pimienta
- 2 TL   mostaza
- 3 Spr Vinagre de frutas
- 2 piezas   Cebolla picada
- 1 PC   Diente de ajo picado
- 1 cucharada   Bálsamo de limón picado
- 5 cucharadas migas de pan
- 1 PC   huevo
- 4 cucharadas petróleo

- 125 ml vino tinto
- 150 ml Queso crema fresca

PREPARACIÓN

Vierta agua tibia sobre las ciruelas pasas y déjelas en remojo durante 4 horas. Luego vierte las ciruelas a través de un colador, córtalas por la mitad, deshuesa y corta en cubos.

Ahora mezcle bien la melisa, los trozos de cebolla y ajo, el pan rallado, los trozos de ciruela y el huevo.

Luego frote la carne por un lado con sal y pimienta, unte con mostaza y rocíe con un poco de vinagre.

Extienda el relleno de ciruela sobre la carne y enróllelo, envuélvalo con hilo de cocina.

Luego, deja que el aceite se caliente en una sartén y fríe el asado por todas partes.

Luego cocine en el horno precalentado (temperatura superior e inferior de 220 °) durante 30 minutos. Después de asar durante 10 minutos, cuando el asado haya tomado algo de color, vierta 400 ml de agua caliente alrededor de la carne. Durante el tiempo de asado, vierta el caldo de carne sobre el asado una y otra vez.

Deje reposar el pavo asado terminado en el horno durante otros 10 minutos. Mientras tanto, se vierte el asado a través de un colador, se refina con vino y crema fresca, además de sal y pimienta.

PIERNA DE TURQUÍA BRAISED

S

Porciones: 4

INGREDIENTES

- 1 PC   Pierna de pavo (aprox. 1,5 kg)
- 2 piezas   Zanahorias
- 2 piezas   Cebollas
- 1 PC   Hoja de laurel
- 5 piezas   Dientes de ajo
- 5 piezas   Bayas de enebro, exprimidas
- 1 entre   Romero
- 1 entre   tomillo
- 1,5 TL Pimentón en polvo, dulce noble
- 1 taza sal
- 0,5 TL pimienta
- 2 cucharadas petróleo

- 250 ml Caldo de verduras
- 1 premio   almidón alimenticio
- 2 piezas   Patatas

PREPARACIÓN

Primero precaliente el horno a 180 grados (calor de arriba a abajo).

Lave la pierna de pavo, séquela y frótela bien con sal, pimienta y pimentón en polvo.

Luego calienta un poco de aceite en una sartén espaciosa o asadera y fríe la pierna de pavo en ella. Luego coloca la sartén en el horno precalentado y déjala hervir a fuego lento durante una hora más. Durante este tiempo, vierta un poco de caldo de verduras sobre la pierna de pavo.

Mientras tanto, raspe y corte la zanahoria. Pelar, lavar y cortar las patatas en trozos grandes. Pelar y picar las cebollas y los ajos.

Luego agregue las verduras, el laurel, las bayas de enebro, el romero y el tomillo a la pierna en la fuente para asar y fría por otros 30 minutos.

La pierna de pavo estofado de la sartén se levanta. Vierta las verduras y la salsa por un colador. Mezclar el líquido con la maicena, sazonar con sal y pimienta y luego agregar nuevamente las verduras.

Finalmente, sirva la pierna de pavo braseada con las verduras guisadas y la salsa.

CURRY DE TURQUÍA CON PIÑA

Porciones: 4

INGREDIENTES

- 350 g carne de pavo
- 2 piezas   Cebolla picada
- 1 PC   Pimiento verde
- 250 g Piña fresca
- 1 PC   plátano
- 2 cucharadas Aceite vegetal, neutro
- 200 ml Leche de coco sin azúcar
- 1,5 TL polvo de curry
- 1 TL   Polvo tandoori
- 1 premio   sal

PREPARACIÓN

Enjuague la carne de pavo con agua fría, séquela y córtela en cubos.

Limpiar los pimientos, quitar las semillas, lavar y cortar en tiras finas.

Corta la pulpa de la piña en trozos pequeños, cortando el tallo en forma de cuña.

Pelar y cortar el plátano en rodajas.

Ahora fríe los trozos de cebolla y pimiento en 1 cucharada de aceite caliente en el wok durante aproximadamente 1 minuto, luego empújelos hasta el borde.

Calentar el aceite restante en el wok y freír los trozos de pavo durante 3 minutos.

Revuelva el residuo del asado con la leche de coco y agregue los trozos de piña y las rodajas de plátano.

Luego agregue el curry y el tadoori en polvo y mezcle todo. Llevar a ebullición brevemente y sazonar con sal.

ASADO DE PAVO CLÁSICO

s

Porciones: 4

INGREDIENTES

- 1 PC Pavo asado (deshuesado, aprox.1 kg)
- 2 piezas Cebolla (mediana)
- 200 ml Caldo de verduras
- 1 cucharada mostaza
- 1 cucharada cariño
- 1 cucharada aceite de oliva
- 1 premio sal
- 1 premio Pimienta (recién molida)
- 1 TL Mejorana
- 1 TL tomillo

PREPARACIÓN

Primero lave el pavo asado con agua corriente y luego séquelo. Masajear bien por todos lados con sal y pimienta. Luego mezcle el aceite de oliva, la miel y la mostaza hasta obtener una pasta cremosa y cubra la carne por completo.

Ahora ponga el asado en una fuente o bandeja para horno. Coloque el tocino encima y fría el asado a 180 ° (precalentado, asistido por ventilador) durante unos 30 minutos.

Mientras tanto, sazone 200 ml de caldo de verduras con pimiento, tomillo y mejorana y añada al horno para freír. Luego esparce las cebollas peladas y cortadas en cuartos alrededor del asado y fríe durante otros 60 minutos.

En el medio (cada 10 - 15 minutos) vierta el caldo sobre el asado para que el tocino no se queme. Si oscurece demasiado, sáquelo.

Pasado el tiempo de cocción, apague el horno y deje reposar el asado durante otros 2-3 minutos. Finalmente, cortar el asado en rodajas mientras aún está caliente sobre una tabla y colocar en un plato. Colar el caldo de carne a través de un colador y espesar brevemente con 1 cucharadita de maicena a fuego medio. Vierta esto sobre las rodajas de pavo y sirva.

SHASHLIK DE TURQUÍA Y VEGETALES

Porciones: 4

INGREDIENTES

- 400 G Pechuga de pavo, fresca
- 2 piezas   Pimientos amarillos y rojos
- 2 piezas   chalotes
- 1 PC   calabacín
- 8 piezas   Hongos frescos
- 1 premio   sal
- 1 premio   Pimienta blanca
- 1 TL   Pimentón en polvo, dulce noble
- 2 cucharadas aceite de oliva

PREPARACIÓN

Primero lave la pechuga de pavo, séquela y córtela en trozos pequeños.

Lavar, limpiar y quitar el corazón de los pimientos y cortarlos en trozos pequeños.

Pelar y cortar por la mitad las chalotas. Limpiar y lavar el calabacín y cortar en rodajas de 1 cm de grosor, luego limpiar y cortar las setas por la mitad.

Ahora coloque los trozos de carne y verduras alternativamente en brochetas de madera y sazone con sal, pimienta y pimentón.

A continuación, sofreír el pinchito de pavo y verduras en una sartén con aceite caliente y cocinar durante otros 10 minutos a fuego lento con la tapa cerrada.

PORRIDGE CON YOGURT

S

Porciones: 2

INGREDIENTES

- 1 taza avena
- 1,5 taza   agua
- 1 premio   sal
- 200 magnesio Yogur, por ejemplo, yogur de fresa, yogur natural, etc.
- 4 cucharadas Fruta, en escabeche o fresca

PREPARACIÓN

Para la papilla clásica, tueste brevemente los copos de avena en una sartén rebozada sin aceite.

A continuación, poner en un cazo los copos de avena con el agua y añadir un poco de sal.

Lleve la olla a ebullición, revolviendo constantemente, y cocine a fuego lento durante 3-4 minutos, hasta que tenga una consistencia suave y blanda.

Finalmente, coloque la papilla en cuencos y decore con cualquier yogur (por ejemplo, natural o de fresa) y algunas frutas frescas.

PORRIDGE CON SEMILLAS DE CHIA

S

Porciones: 4

INGREDIENTES

- 400 G avena
- 1 cucharada   Amapola
- 3 cucharadas semillas de chia
- 400 ml Leche de almendras
- 1 premio   canela

para la salsa

- 200 g Frambuesas, frescas o congeladas
- 1 cucharada   cariño
- 1 disparo   Jugo de limon
- 1 premio   cardamomo

PREPARACIÓN

Mezcla los copos de avena con las semillas de amapola y la canela el día anterior y vierte la mitad de la leche de almendras en un bol. Luego déjelo reposar en el refrigerador durante la noche.

Mezclar las semillas de chía con el resto de la leche de almendras en otro bol para que no queden grumos y también colocar en el frigorífico durante la noche.

Al día siguiente, mezcla la avena con las semillas de chía.

Luego seleccione las frambuesas y lleve a ebullición en una cacerola pequeña con limón, miel y cardamomo a fuego medio y haga puré con una batidora de mano.

Rellena la papilla con semillas de chía en chupitos y vierte la salsa picante de frambuesa por encima.

BASE POLENTA

S

Porciones: 4

INGREDIENTES

- 1 l   agua
- 250 g polenta
- 2 cucharadas Margarina, vegana
- 1 TL   sal
- 1 premio   pimienta
- 1 premio   Nuez moscada rallada
- 0,5 TL Jugo de limon
- 0,5 TL Pimentón en polvo, dulce noble

PREPARACIÓN

Primero hierva el agua en una cacerola, luego espolvoree la polenta y déjela hervir mientras revuelve; luego deje que se hinche a fuego lento durante unos 25-30 minutos mientras revuelve regularmente.

Al final del tiempo de cocción, agregue mantequilla, sal, pimienta, nuez moscada, pimentón en polvo y jugo de limón y luego sirva la base de polenta tibia o úsela para otras recetas.

RECETA BÁSICA DE MASA PARA PIZZA

S

Porciones: 4

INGREDIENTES

- 200 ml Agua tibia
- 20 G   Levadura fresca
- 350 g Harina, tipo 501
- 1 cucharada   Miel para disolver la levadura
- 2 cucharadas Aceite de oliva o aceite de colza
- 2 TL   sal
- 1 premio   azúcar

PREPARACIÓN

Para la masa de pizza, primero tamice la harina en un bol. La levadura se disuelve en miel (o en agua) y se agrega a la harina junto con el agua, la sal, el aceite de oliva y una pizca de azúcar.

Mezclar con el gancho amasador para formar una masa, luego amasar bien con las manos. Después de que la masa se haya amasado hasta obtener una masa uniforme, estírela hasta obtener el tamaño deseado y déjela crecer durante 30 minutos.

La pizza se puede cubrir como desee. Sin embargo, es una buena idea usar la salsa de tomate clásica y mostrar creatividad con el aderezo.

Importante: No ponga demasiado sobre la pizza, de lo contrario la masa no podrá respirar lo suficiente al hornear. Después de la cobertura, hornee a 200 grados (convección) durante unos 20 minutos y luego ¡disfrútelo!

PICANTE BUTTERNUT SQUASH DEL HORNO

Porciones: 4

INGREDIENTES

- 1 PC Calabaza (butternut)
- 0,5 TL Semillas de hinojo
- 2 TL Semillas de cilantro
- 1 premio Chile en polvo (según sea necesario)
- 1 PC diente de ajo
- 4 entre orégano, fresco
- 1 premio sal y pimienta
- 2 cucharadas aceite de olive

PREPARACIÓN

Primero lavar la calabaza, cortarla por la mitad, raspar el interior fibroso y las semillas con una cuchara y retirar.

Luego, muele las semillas de fenche, las semillas de cilantro y el chile en polvo en un mortero y agregue la sal y la pimienta.

Ahora pele el diente de ajo, pique, agregue y mezcle vigorosamente, luego ponga la pasta de hierbas en un bol, agregue aceite de oliva y mezcle bien. Lavar el orégano y secar con agitación.

Luego precaliente el horno a 200 grados de temperatura superior / inferior, cepille la calabaza con la pasta de condimentos, colóquela en una fuente para hornear, agregue las ramitas de orégano y hornee por unos 30 minutos hasta que la calabaza se haya ablandado.

Finalmente, divide la calabaza picante del horno en 4 porciones, acomódalas en platos y sírvelas.

CONCLUSIÓN

Si desea perder algunas libras, la dieta baja en carbohidratos y grasas eventualmente alcanzará sus límites. Aunque el peso se puede reducir con las dietas, el éxito suele ser breve porque las dietas son demasiado unilaterales. Por lo tanto, si desea perder peso y evitar un efecto yo-yo clásico, debe verificar su balance energético y recalcular su requerimiento diario de calorías.

Lo ideal es adherirse a una variante suave de la dieta baja en grasas con 60 a 80 gramos de grasa por día de por vida. Ayuda a mantener el peso y protege contra la diabetes y los lípidos altos en sangre con todos sus riesgos para la salud.

La dieta baja en grasas es relativamente fácil de implementar porque solo tiene que renunciar a los alimentos grasos o limitar severamente su proporción de la cantidad diaria de alimentos. Con la dieta baja en carbohidratos, por otro lado, se necesita una planificación mucho más precisa y más resistencia. Cualquier cosa que realmente te llene suele tener un alto contenido de carbohidratos y debe evitarse. En determinadas circunstancias, esto puede provocar antojos de alimentos y, por tanto, un fallo en la dieta. Es fundamental que comas bien. Por lo tanto, muchas compañías de seguros de salud legales ofrecen cursos de prevención o le pagan por asesoramiento nutricional individual. Este consejo es extremadamente importante, especialmente si se decide por una dieta para adelgazar en la que desea cambiar permanentemente toda su dieta. El hecho de que su seguro médico privado pague estas medidas depende de la tarifa que haya contratado.

Lightning Source UK Ltd.
Milton Keynes UK
UKHW020631140621
385477UK00005B/216